Malven-Malve
(Malva moschata)

...blume
...schatus)

Echtes
Lungenkraut
(Pulmonaria officinalis)

Berg-
Flocken=
blume
(Centaurea
montana)

Erich Walter

Fränkische
Bauerngärten

Der Nutz ist ein Teil der Schönheit …
Albrecht Dürer

Für Friedel
– die mich durch viele Gärten begleitet hat –

Fränkische Bauerngärten

Fotos, Texte und Textauswahl sowie Zeichnungen
von Erich Walter

Mit einem Vorwort von Dr. Peter Titze

 Hoermann-Verlag Hof

ISBN 3-88267-047-9
© 1995 by Hoermann-Verlag,
95028 Hof/Saale, Oberer Torplatz 1
Gestaltung+Druck: Mintzel-Druck, Hof
Nachdruck, auch auszugsweise,
nur mit Genehmigung des Verlages

Inhalt

Ein rechtes Bauerngarten-Bild, wie sich die schöne Pfingstrose voll und ansehnlich durch die grünveralgten hölzernen Zaunlatten nach draußen drängt. Auf einen kleinen Raum zusammengezwängt, sich bescheidend und Freude spendend, und dabei nach draußen drängend...

Vorwort

Im umgekehrten Verhältnis zur Situation draußen auf unseren Dörfern und in der Landschaft wurde in den letzten beiden Jahrzehnten viel über Bauerngärten geschrieben und in schönen Bildern beschworen. Zu diesem Buch meines Freundes Erich Walter schreibe ich gern eine Begleitung, hat es doch eine charakteristische ausdrucksvolle „Handschrift", legt es den Schwerpunkt auf den Garteninhalt: die Pflanzen, und würdigt ihre Gärtner und Pfleger, die Bäuerinnen.

Die Urteile, die zuweilen schnell und emotional über die Gärten der Bauern gefällt werden, sind oft ein überschwengliches Lob auf einen Rest des Paradieses, lauten aber auch, Bauern seien noch nie gute Gärtner gewesen. Lassen wir uns hier durch Erich Walter in die Gärten in fränkischen Landen führen und erzählen: Was verbirgt sich im Zaungeviert und begleitet die Bauernhäuser?

Zunehmend wohnen die Menschen in Städten mit den Segnungen der Zivilisation und beschäftigen sich Wissenschaftler und Planer mit Stadtökologie. Doch erinnern sich viele von uns auch gern des Lebens auf dem Lande. Um die Lebensqualität adäquat zur Stadt zu erhalten und zu verbessern, bemühten sich die Flurbereinigungsdirektionen mit Dorferneuerungsprogrammen und Forschungsaufträgen, die Bayerische Akademie für Naturschutz und Landschaftspflege mit Seminarbeiträgen („Dorfökologie" 1983 u.f.), der Bayerische Landesverband für Gartenbau und Landespflege und mit ihnen wir von der Wissenschaft auf der Grundlage nüchterner statistischer Erhebungen, die wir beim Lehrgarten von Elbersroth, in Dia-Reihen und Vorträgen draußen auf den Dörfern an die Adressaten brachten. Seit den 70er Jahren beschäftigte mich zunehmend das Niemandsland zwischen Wildflora und moderner Gartenkultur, zwischen Naturschutz und Denkmalpflege: das Integral von Gartengeschichte in den Bauerngärten. Denn, auch Kulturpflanzen können aussterben, oft sang- und klanglos, und es ist schade um sie, haben sie doch für 2000 Jahre abendländische und noch länger in der Menschheitsgeschichte den Menschen begleitet. Sie haben sich auch in Franken Heimatrecht erworben. Erich Walter hat sich von diesem Interesse anstecken lassen und in seiner Heimat fleißig und gezielt geforscht. Er faßt hier zusammen, was er in zahlreichen größeren und kleineren Themen schon veröffentlicht hat. Er lädt den Leser ein zu anregenden und unterhaltsam-lehrreichen Spaziergängen durch fränkische Dörfer wie durch die Gartengeschichte. In den Gärten der Bäuerinnen, kleinen Fleckchen gestalteten Heimatlandes, läßt er Internationalität deutlich werden, indem er auf Heimat und Einführungsgeschichte unserer Gartenpflanzen eingeht; sie drücken friedlichen Tausch zwischen Völkern und Herrscherhäusern aus. Bauern aber waren und sind ihre Bewahrer. Wir erfahren von Lilien, die die Wiege des Abendlandes in Knossos schmückten, aber auch, daß Bäuerinnen für Neuheiten durchaus aufgeschlossen und zum Experimentieren bereit sind.

Das Buch erzählt eine lebensnahe Frankenkunde, weil es den Gebrauchs- und Symbolwert vieler Pflanzen erschließt, die Verbindung zwischen Garten und kirchlichen Bräuchen, seien es Kräuterweihe oder Dekoration einer evangelischen Kirche oder die Sitte, mit Zierpflanzen die Friedhöfe zu kleiden. Viel Erlebtes und Beobachtetes läßt sich nur mit der Bilder-Sprache wiedergeben. Die Fotos und Zeichnungen von Erich Walter zeugen von viel Liebe zum Objekt: Garten und Pflanze. Wir bekommen hier keine Kalenderblätter geboten, sondern die Bilder werden ausführlich interpretiert, so daß der neugierige Leser bei einer ersten Lektüre einen guten Querschnitt erfährt und Lust auf mehr Hintergrundwissen im Text bekommt.

Bauerngärten sind ein lebensnaher Beitrag von manch wenig beachteten Dorf-Menschen für ihre Dorfgemeinschaft. An diese Tradition anzuknüpfen lädt das Buch den Neubürger ein – mit dem „schönen Dorf" (im tieferen Verständnis) sich Heimat zu schaffen.

Dr. Peter Titze
Institut für Botanik und Pharmazeutische Biologie
der Universität Erlangen-Nürnberg

Einführung

Ein neues und damit weiteres Buch über Bauerngärten scheint angesichts der reichlich vorhandenen Bauerngarten-Literatur unnötig. Außerdem haben Nutzgärten, und das sind und waren Bauerngärten immer, bedingt durch den europaweiten Überfluß heute scheinbar nur noch wenig Bedeutung. Trotzdem muß es sein, denn das Thema ist trotz des Wertverlustes für alles Natürliche, Naturnahe, Selbstverständliche und Überkommene weiter von überquellender Fülle und neu entstehender Aktualität. In Vergangenheit und Gegenwart, wie durch sein Eingebundensein in Dorf und Kulturlandschaft, ist es von großer Vielfalt und Vielschichtigkeit. Davon soll das nun hier vorgelegte Buch berichten.

Angeregt wurde ich zu Thema und Buch durch den Botaniker-Freund Dr. Peter Titze in Erlangen, den besten Kenner der Bauerngarten-Botanik und -Literatur in Franken und weit darüber hinaus. Nahezu 20 Jahre lang hat mich das Thema und seine verschiedenen Aspekte interessiert; der Bestand an Kulturpflanzen und ihre Herkunft, der Bauerngarten als Lebensraum von Wildpflanzen und der Garten als Wiege vieler daraus verwilderter Pflanzenarten unserer heimatlichen Flora. Die vorhandene Vielschichtigkeit hoffe ich im Buch in Bild und Wort zumindest anzureißen.

Ungefähr 15 Jahre lang habe ich in Franken ländliche Gärten, sogenannte Bauerngärten, auf ihren Artenbestand und die Begleitumstände hin beobachtet. Gegen das Ende zu habe ich (1992) während einer Vegetationsperiode in Oberfranken noch einmal gezielt 55 Dörfer und dazu vom Artenbestand her anscheinend ältere und naturnahe 9 Einzelgärten auf ihren Artenbestand hin untersucht, um der Gefahr zu entgehen, nur bereits bekanntes und veröffentlichtes Wissen wiederzukauen und weiterzugeben, wie es ja allzuoft passiert. Die Ergebnisse dieser Untersuchung wurden anschließend (siehe Literaturverzeichnis) veröffentlicht. Sie ergaben kein wesentlich anderes Ergebnis als das vorher bereits in langjähriger Beobachtung herausgefundene Bild.

Eigentlich gibt es den „Fränkischen Bauerngarten" nicht, aber in Franken ist alles so wundervoll und bis ins Kleinste miteinander verwoben, daß der ländliche Garten der in ähnlicher Weise auch in Frankreich, Österreich, Slowenien, Tirol und anderswo zu finden ist, hier scheinbar seine Vollendung erreicht. Ihm fehlt die höhere und zugleich gleichmacherische Ordnung, es fehlt ihm die preußische Ausrichtung nach immer dem gleichen Schema und dem immer „alles in Reih und Glied". Hier in Franken geniert man sich Herz zu zeigen und doch ist alles vom Herzen diktiert, statt vom nüchternen Kalkül unserer Tage, wo nicht gilt was man nicht zählen kann. Zugleich nimmt man hier nicht alles so genau, womit wir auch zur Grande Nation Karls des Großen, und damit zu unseren westlichen Nachbarn zurückfinden. Hier darf auch einmal ein sogenanntes Unkraut in den Beeten stehen, wenn man nur seine Freude daran hat. So ist mir als würde über diesen farbenfrohen und formenbunten Gärten ohne jede befremdende Steifheit das „C'est la vie" der Nachbarn schwingen… So fern ist das nicht gegriffen, denn beschäftigt man sich mit den Details, dann geht es hin und her zwischen dem südwestlichen Frankreich in der Zeit des „Capitulare de Villis", den hydrangeenreichen Gärten der Bretagne und dem Reichtum an Pflanzenarten aus aller Welt der Provence und schwingt zurück nach Franken zu Intimität und Gefühl mit dem sommerlich lässigen Tschilpen der Spatzen in den Johannisbeersträuchern unserer Gärten zur Mittagsstunde und der aufgeregten Flinkheit der Schwalben über den Dörfern.

Vergangenheit und Moderne sind hier immer nahe beieinander, denn der Franke ist nicht eng, vermag er sich auch zu beschränken. Weltoffen ist er neben aller Betulichkeit und mit sich im Reinen das zeigen seine Gärten.

Die nächste Enttäuschung für den Leser wird sein, daß es *den* Bauerngarten auch nicht gibt, denn der ländliche Garten ist der Garten der Bäuerin und wie wir sehen werden ist der *Bauerngarten* die seltene Ausnahme. Das Arbeitsfeld des Bauern war und ist zu groß, als daß er auch noch den Garten bearbeiten könnte. Acker und Wiese, Stall und Wald, Hof und Scheune lassen ihm keine Zeit. Groß genug war und ist auch der Arbeitsbereich der Frauen auf den Höfen: Haus und Kinder, Stall und Garten, und die Mitarbeit auf Feld und Wiese. Viel hat sich in den letzten Jahrzehnten in den Dörfern und auf den Höfen verändert. Längst gibt es keine Bediensteten mehr, die der Bäuerin zu einer beschaulichen Stunde im Garten verhelfen könnten, und die Gartenbank fehlt allenthalben längst. Nur selten hat ein Garten auf dem Dorf noch das Glück, von den Händen einer alternden Bauersfrau mit etwas Muße betreut zu werden. Dies ist zur Seltenheit geworden, denn der notwendige Beitrag zum Lebensunterhalt zwingt heute

10

auch manche Frau vom Hof weg hinaus ins Berufsleben außerhalb des Dorfes oder die Aufgaben in Haus und Hof sind für sie so vielfältig, so „über den Kopf wachsend" als, daß noch die Gartenarbeit ohne Belastung und mit Beglückung erfüllt sein könnte. Doch so wie es deshalb vernachläßigte oder gar verlassene Gärten gibt, so gibt es mittlerweile auch Frauen in den Dörfern, die ohne Bäuerin zu sein sich eine eigene Gartenwelt, vergleichbar schönen alten Beispielen, zu schaffen vermögen zum Gewinn fürs jeweilige Dorf. Die Frau des Forstamtsleiters oder des Försters, die Bildhauerin oder Malerin kann dies sein. Und die dabei entstehenden Gartenwelten vermögen der von Emil Nolde nahezurücken. Da schwingt das Uralt-Weltwissen der Hildegard von Bingen mit und das Wissen um die botanische Vielfalt der pflanzlichen Erscheinungen in einer riesiggeweiteten großen Welt. Dazu das Wissen um die Bedeutung von Pflanzen in der Heilkunde früherer Zeiten oder die ästhetischen Ansichten eines Claude Monet oder eines Emil Nolde, der sich von den Bauerngärten inspirieren ließ. Völlig neue Muster vermögen da zu entstehen, bisher unbekanntes Garten-Neuland, ohne den Zwang des Nahrungserwerbes, von wenigen erkannt und von ihnen mit großer Beglückung empfunden. Dazu gibt es kein Muster wie beim Stricken oder Häkeln, sondern es erfordert zu Experimentieren und zu Gestalten mit der Erfahrung von Jahrhunderten gepaart mit glücklicher Hand und den vielfältigen Möglichkeiten unserer Zeit.

Im Frühjahr 1995

Erich Walter

Mittelpunkt eines Gartens in Lindelbach bei Würzburg: „Modern" der Maschendrahtzaun, farblich miteinander korrespondierend das alte Wasserfaß und daneben eine üppig blühende Pfingstrosenstaude. Neben dem Wasserfaß bereitet sich die Kanadische Goldrute für den goldenen Herbst vor.

Ursprung und Werdegang des Bauerngartens

So wie auf dem Bild eines bäuerlichen Feldgartens, mitten in der Mainaue bei Burgkunstadt, ist unsere mehr oder weniger nebulöse Vorstellung von der Entwicklung des Bauerngartens. Erst Gemüse als Grundnahrungsmittel, – und sehr viel später die Blumen als Nahrung der Seele.

Am Anfang war der Nutzgarten

Ein solcher Feldgarten als gemischter Gemüse- und Blumengarten auf der Hochfläche der Nördlichen Frankenalb östlich von Hochstahl im Landkreis Bayreuth.

Buchsgesäumte Rasenquartiere als Reste der barocken Gartenanlage von Schloß Neudrossenfeld zwischen Bayreuth und Kulmbach. Solche höfischen oder allgemein adeligen Gartenanlagen waren sicher oft Vorbild.

Über einige möglicherweise schon in jungsteinzeitlichen Gärten und in späterer Zeit in römischen Villengärten kultivierte Nutzpflanzen wissen wir durch Ausgrabungen. Die Hofgüterverordnung „Capitulare de Villis" vermutlich Karls des Großen aus dem Jahre 795 enthält neben wenigen Blumenarten eine große Zahl von Gemüse-, Salat- und Kräuterarten, dazu noch Obst- und Nußbäume, deren Anbau damals für die karolingischen Hofgüter in Aquitanien gewünscht wurde und die zum großen Teil auch heute noch angebaut werden. Dazu gibt es den, aus dem 9. Jahrhundert stammenden St. Galler Gartenplan der Insel Reichenau mit Listen von Arten für den Gemüse-, Kräuter- und den Baumgarten. Im „Hortulus" einem Gedicht über den Gartenbau des Reichenauer Abtes Strabo, nach 824 entstanden, findet sich eine weitere Aufzählung von Gartenpflanzen der damaligen Zeit. Diese bisher genannten Aufzählungen, wie auch aus folgenden Jahrhunderten stammende, enthalten im Wesentlichen wieder die bereits im „Capitulare de Villis" genannten Arten. Dies ist uns Nachweis dafür, daß viele für unsere klimatischen Voraussetzungen besonders geeignete Kulturpflanzen damals schon

Herkunft und Beeinflussung

15

bekannt und im Anbau waren, und zum anderen Beweis für die mehr als 1000jährige Kultur unserer meisten Gartenpflanzen. Anregung dafür waren den bäuerlichen Gärten sicher die Gartenkultur der Klostergärten und Adelssitze, doch folgte deren Artenbestand und Gestaltung dem der genannten Beispiele wohl immer nur in sehr freier und bescheidener Form, und ohne jedes Reglement. Belege dafür fehlen uns, da es keine so frühen Aufzeichnungen über Gestaltung und Artenbestand von bäuerlichen Hausgärten gibt und dafür kaum Möglichkeiten der

Seltener Rest einer solchen Nachahmung von Adelsgärten ist das buchsgesäumte Rundbeet im Garten des Klausstein-Hofes nahe der Burg Rabenstein im Landkreis Bayreuth.

Nachweissicherung durch Ausgrabungen vorhanden sind. Zudem entziehen sich auch viele in Gärten als Salat- oder Gemüsearten angepflanzte Nutzpflanzen einer solchen Nachweissicherung, da es ihre Zweckbestimmung ist, vor dem Reifen der Samen verzehrt zu werden. Schriftliche und bildliche Aussagen zur mittelalterlichen Gartenkunst zeigen uns nur Beispiele aus Kloster- und Adelsgärten mit hohem Symbolgehalt ihrer Darstellung. Von ihnen läßt sich nicht unmittelbar auf das Aussehen früherer Bauerngärten oder überhaupt ländlicher Gärten schließen.

Blick vom Michaelsberg in Bamberg hinüber zum Domberg mit Dom, alter Hofhaltung und Neuer Residenz mit Rosengarten. Der Obstbaumhang im Vordergrund, zur Klosteranlage des Michaelsberges gehörend, kann Hinweis auf die Bedeutung der Klöster als ehemalige Keimzellen des Obstbaues und der Gartenkultur sein.

Der sogenannte Forstmeistergarten in Ebrach im Steigerwald, Parkanlage und Obstgarten zugleich, ist Bestandteil der großartigen Klosteranlage Ebrach. Auch diese Keimzelle klösterlicher Gartenkultur mag einst Beispielswirkung mit großer Strahlkraft auf ein weites ländliches Umfeld besessen haben.

18

Der blühende Fliederstrauch am Nebengebäude des Wasserschlosses Mitwitz, im Landkreis Kronach, zeigt uns den Weg vieler Arten der Bauerngärten über die Garten- und Parkanlagen der zahlreichen Adelssitze in Franken.

Das folgende Bild zeigt uns den schnellen Verfall von Haus und Garten, wenn mit dem Menschen das Leben entwichen ist. Die Natur kehrt rasch zurück. Zeugen ehemaliger Gartenkultur sind im Bildhintergrund die **Beerensträucher** und im Vordergrund neben einem alten **Rosenstrauch** der prächtige **Blaue Eisenhut** (Aconitum napellus).

Solche Reste alter Bauerngärten sind selten, einmal weil selbst kurzlebig, und zum anderen geht unsere raschlebige Zeit über die sterbenden Häuser und ihre vergehenden Gärten besonders schnell hinweg. In Oberfranken konnten wenige solcher alten Gartenreste gefunden und erfaßt werden. So z. B. beim Bergbauernhof Grassemann und der Einöde Mähring im Fichtelgebirge sowie bei der Dobermühle und der ehemaligen Kremnitzmühle im Frankenwald.

Reste alter Bauerngärten finden sich im nordöstlichen Franken z. B. mit Verwilderungen der **Meisterwurz** (Peucedanum ostruthium) im Fichtelgebirge und sehr selten im Frankenwald. Dabei findet sich die alte Heilpflanze **Imperatoria** eigenartigerweise nirgendwo in noch bestehenden Gärten und auch in der Bevölkerung ist kein Wissen um ihre ehemalige Verwendung mehr vorhanden.

Rest eines alten Bauerngarten bei Straas/Biengarten (Einöde am Stammbacher Weg) im Landkreis Hof.

Im westlichen Franken tut dies in ähnlicher Weise die alte Heilpflanze **Osterluzei** (Aristolochia clematitis). Auch Gebüsche vom **Gemeinen Flieder** (Syringa vulgaris) vermögen Hinweis auf die Lage ehemaliger Gärten zu sein. Die **Bartnelke** (Dianthus barbatus), die **Silber-Goldnessel** (Galeobdolon argentatum) und das **Märzenveilchen** (Viola odorata) tun dies manchmal ebenso. Andere alte Gartenarten haben sich meistens schon weiter vom ehemaligen Gartenstandort entfernt, wie die **Moschus-Malve** (Malva moschata), die **Nachtviole** (Hesperis matronalis) und der **Meerrettich** oder **Kren** (Armoracia rusticana) und geben nur noch allgemeine Hinweise auf ihre frühere Gartenverwendung. *Verwilderungen*

Bei entsprechender Aufmerksamkeit sind in den Dörfern Frankens auch immer wieder Zeugnisse ehemaliger Bauerngärten in anderer Form zu finden. So steht hin und wieder noch ein Strauch der **Bauernrose** oder **Hundertblättrigen Rose** (Rosa centifolia), oder der **Weißen Rose** (Rosa alba) als allerletzter Rest eines ehemaligen Bauerngartens verloren am Gartenzaun, mitten in der sonst kahlen Rasenfläche oder in einer Ecke des Hausgartens. *Alte Rosen*

Zwei weitere Arten, die neben der Rose eine uralte Tradition in den Gärten der Alten Welt und eben auch in unseren ländlichen Gärten besitzen und mit ihr bereits im Capitulare von 795 Aufzählung fanden, sind die **Lilie**, **Weiße Lilie** oder **Madonnenlilie** (Lilium candidum) und die **Schwertlilie**, **Deutsche Schwertlilie** (Iris germanica). Die letztere Art war als „Veilchen-wurzel" noch lange Zeit offizinell. Am Felsen der ehemaligen Streitburg über Streitberg, Land-kreis Forchheim, in der Fränkischen Schweiz wächst die **Deutsche Schwertlilie** verwildert, möglicherweise als Rest des ehemaligen Burggärtleins.

Lage und Gestaltung der Gärten

Der Nutzgarten mit Gemüse, Salat und Kräutern, später auch mit Blumen, lag möglichst nahe am Haus. Beim Einfirstbau konnte dies vor dem Haus, unter der Giebelwand oder auch hinter dem Haus sein. Einen zwingenden Platz dafür gab es wohl zu keiner Zeit und nach keiner Vorschrift. Je nach Garteninteresse konnten durchaus auch alle drei genannten Örtlichkeiten mit mehr oder weniger großen Gärten belegt sein. Der Himmelsrichtung schien da ebenfalls keine besondere Bedeutung zugekommen zu sein, wobei eine sonnige Lage immer bevorzugt wurde. Das war beim Drei- oder Vier-Seithof nicht anders. Im Hof selbst lag der Garten i.d.R. nicht, denn dort mußte Raum sein für Vieh und Fahrzeuge, für die Miststatt und manchmal den Hofbaum. Lag der Hof zur Straße zu, so gab es dort auch einen der Straße oder dem Anger zugewandten Garten. Das kam schon immer der Selbstdarstellung zugute und vielleicht auch der angenehmen Gelegenheit die Gartenarbeit durch ein Gespräch zu unterbrechen, entgegen. Gemüse und Salat, auch die Kräuter, hatten im Garten ihren Platz, die Beerensträucher und später auch die Blumen. Ein Obst- und Nußbaum stand häufig außerhalb vom eigentlichen Garten, manchmal auch ein großer Holunderstrauch.

Die Obstbäume standen anschließend an Haus und Hof gegen die Felder zu am Ortsrand auf einer Obstwiese beieinander. Sie bildeten den weichen Übergang zu Wiese und Acker, das Dorf im Frühjahr zur Blütezeit in schneeige Watte hüllend, im Herbst dem reifenden Obst durch die vorhandene Hausnähe Schutz verleihend. Der Obstgarten im Dorf zwischen Hof und Scheune oder zwischen den Höfen war zugleich der Garten in dem das Hausgeflügel, ob Hühner, Enten oder Gänse gleichermaßen vor Habicht und Fuchs geschützt, sich frei bewegen konnte. *Obstbäume*

Wenn die dörfliche Enge dem Hausgarten zu wenig Raum bot, gab es am Dorfrand und dem Hofe nahe genug, noch einen Garten, den sogenannten „Krautgarten". Gemüse konnte auch in einem hofnahen Feldstück oder draußen in der Feldflur in einigen Beeten zwischen den Feldfrüchten heranwachsen. Ob Hausgarten oder „Krautgarten" am Ortsrand, sie dienten und tun dies bis heute noch manchmal im Frühling zunächst und wichtigst der Anzucht von Kraut- oder Rübenpflanzen für den Kraut- oder Rübenacker. *Krautgarten*

Nutzgarten mitten in der Feldflur.

Obstgarten zwischen Hof und Hof zugleich „Hühnergarten".

Der Hausgarten schien sich in Franken zu allen Zeiten jeglichem Reglement entzogen zu ha- *Unter-*
ben. Meistens war er nur durch einen Mittelweg unterteilt, an dem beidseitig Beete lagen. Ein *teilung*
weiterer Weg trennte häufig von diesem Mittel- und Hauptteil des Gartens noch ein schmales, *der*
entlang des Gartenzaunes gelegenes Beet für die Beerensträucher ab. Eine Vierteilung mit Weg- *Gärten*
kreuz und Rundbeet oder einem Brunnen in der Mitte gab es nur selten. Während dies in Süd-
westdeutschland und in manchen Gegenden der Schweiz und im Münsterland ein gängiger,
mehr dem Bürgergarten angenäherter Gartentyp gewesen sein mag, der das in der Bauerngarten-Literatur bis in unsere Tage immer wieder kolportierte, weitverbreitete Bauerngartenschema
abgegeben hat. In Franken läßt sich, wenn überhaupt, nur das einfache und uralte Schema
des St. Gallener Klostergartens als der einfachste und praktikabelste Gartenplan erkennen.
16 verschiedene Heilkräuterarten in ebensovielen Beeten waren enthalten. Sie wurden ange-
führt von Lilie und Rose (oben) und weiter enthielt das Gärtchen: Saubohnen, Pfeffer- oder
Bohnenkraut, Frauenminze, Griechisch Heu, Rosmarin, Pfefferminze, Salbei, Raute, Schwertlilie, Poleiminze, Krauseminze, Kreuzkümmel, Liebstöckel und Fenchel.

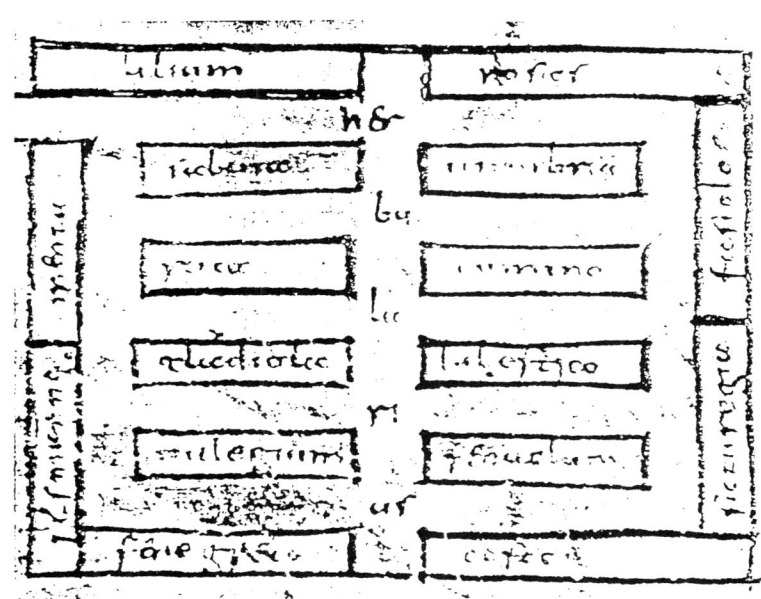

Plan des Heilkräutergartens
(Herbularius) im karolingischen
Klosterplan des Klosters St. Gallen
(um 980).

Der Gemüsegarten sollte enthalten: Zwiebel, Lauch, Sellerie, Koriander, Dill, Mohn, Rettich, Mangold, Knoblauch, Schalotten, Petersilie, Kerbel, Salat, Bohnenkraut, Pastinak, Kohl und Schwarzkümmel.

Unsere bäuerlichen Gärten haben je nach Grundriß noch heute eine ähnlich einfache Aufteilung wie der Heilkräutergarten des Klosters St. Gallen: Ein Mittelweg mit beidseitigen Beeten, und am Zaun entlang laufend ein weiteres schmales Beet.

Garten- Die Wege im Garten waren unbefestigt und die Quartiere i. d. R. ohne Einfassung durch fremde
wege Materialien oder Bepflanzung. Die Beete waren und sind einfach durch alljährlich neu abgetre-

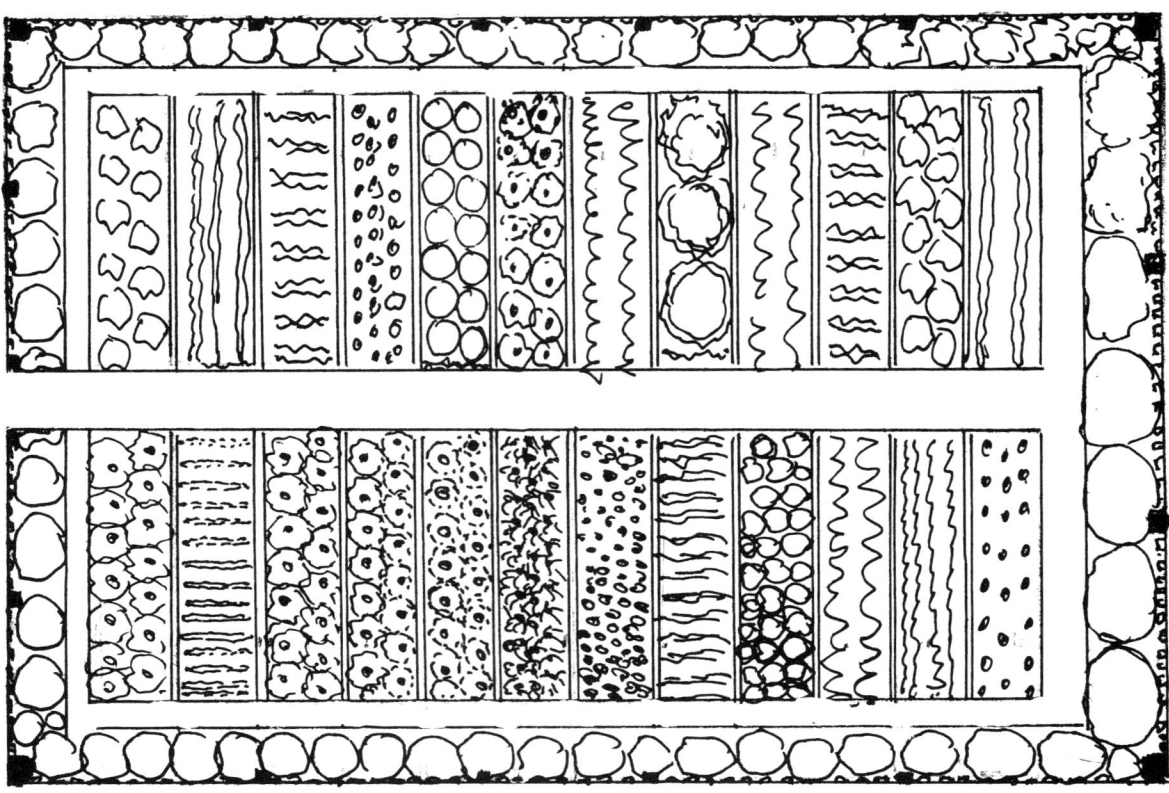

Unsere bäuerlichen Gärten haben je nach Grundriß eine ähnlich einfache Aufteilung wie der Heilkräutergarten des Klosters St. Gallen: Ein Mittelweg mit beidseitigen Beeten, und am Zaun entlang laufend ein weiteres schmales Beet.

26

tene Wege voneinander getrennt. Sie sind etwa 0,80 bis 1,00 m breit, so daß sie bei der Gartenpflege von beiden Seiten her übergreifbar bleiben.

Verschieden war und ist auch die Lage der Gärten, d. h. ihre räumliche Zuordnung zu Haus *Um-* und Hof, verschieden auch in Größe, Gestaltung und Ausstattung. So ist es ähnlich auch mit *zäunung* der Umzäunung. Vielleicht gab es in der Urzeit der Hausgärten, d. h. in den jungsteinzeitlichen Ackerbausiedlungen, lose Dornstrauchwälle und bald schon, nach dem Prinzip der lehmbeworfenen Hauswände, Zäune aus Weidengeflecht.

Vom Mittelalter an wissen wir bis heute wiederum um vielfältige Gestaltung auch der Schutzzäune mit hölzernen oder steinernen Eck- und Quartiersäulen. Diese das jeweils örtlich zur Verfügung stehende Material wiedergebend. Dazwischen an Querhölzern einfache oder halbierte Staketen. Die letzteren halbrund oder nach Art der Dachlatten beidseitig gesäumt mit geraden, gerundeten, facettierten oder sonstwie verzierten Köpfen.

Der Maschendrahtzaun ist vollends eine Abwendung von bisheriger Gartenkultur und zugleich ein Zeichen der sich ausbreitenden Resignation und des weithin gesunkenen Interesses an bäuerlicher Gartenkultur.

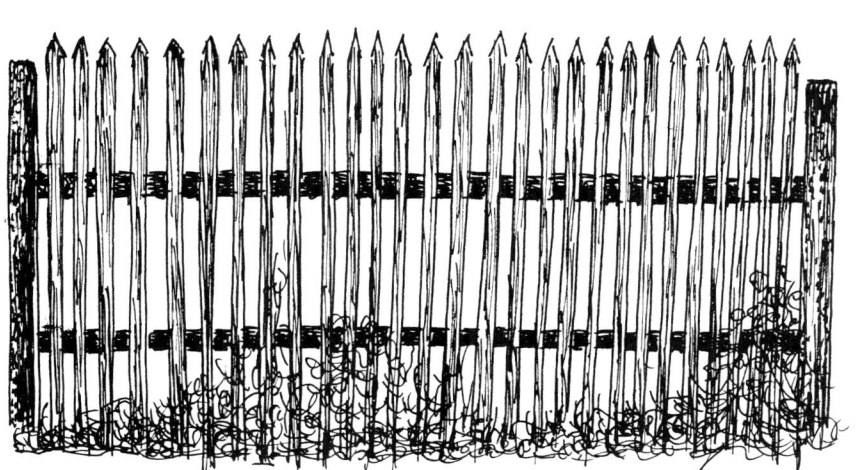
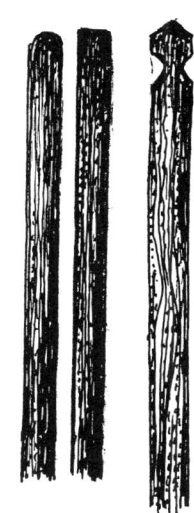

Der Bretterzaun allein war schon Verschwendung, der für andere Zwecke besser verwendbaren geschnittenen ungesäumten Bretter wegen – sicher eine Ausnahme. Selten auch stand der Zaun auf einem Mäuerchen, und dies auch nur, wenn die Ungunst des hofnahen Gelände es erforderten. Seltenes Beispiel bei Eckartsreuth im Landkreis Bayreuth.

Der Jägerzaun, auch aus gespaltenen Fichtenstangen bestehend, ist mit seiner Überkreuzform eine neue Zaunform ohne Tradition und außerdem weniger gut haltbar. Er erfordert einen großen Pflegeaufwand durch häufiges Streichen mit einem Holzschutzmitel.

Nachempfundener mittelalterlicher Weidengeflechtzaun auf dem Gelände des Fränkischen Freilandmuseums in Bad Windsheim.

Authentische Zaunformen mit halbierten Staketen und mit Holz- und Sandsteinpfosten:

Hausgarten der Mühle von Unterschlauersbach, Landkreis Fürth in Mittelfranken (unten rechts).

Blockhaus mit Hausgarten von Oberzettlitz, im Landkreis Kulmbach in Oberfranken.

Ein kleiner Garten gegenüber vom Hof an der nahen Scheune in Mödlenreuth im Landkreis Hof zwischen Münchberg und Gefrees. So klein das Gärtchen ist, enthält es Gemüse, Beerenstrauch, Blumen und sogar noch einen Buchsstrauch.

Der Hausgarten in der Flußaue der Kreck in Autenhausen im Landkreis Coburg besitzt sogar ein seltenes Gartenhäuschen.

Sogenanntes Frackdachhaus im Raum Münchberg,
im Landkreis Hof, und bescheidenes Gärtchen.

Durch Maschendraht drängende Schönheiten:
Topinambur *oder* **Knollen-Sonnenblume** *(Helianthus*
tuberosus).

31

Der Garten des Bauernhof-Museums in Frensdorf, im Landkreis Bamberg, mit Vierteilung und mittigem Brunnen.

Bäuerlicher Hausgarten in Neudorf, Landkreis Bamberg, im Steigerwald. Links bei der Gießkanne verläuft der den Garten mittig unterteilende Mittelweg.

Dem Haus sieht man die Blumenfreude seiner Hausfrau schon von weitem an. Da kann man vom Hausgarten eine ähnliche Blumenpracht wie beim Hausschmuck erwarten, denn das geht meist eng zusammen (in Burgellern bei Scheßlitz, Landkreis Bamberg).

Neben den verschiedenen Haus-, Kraut- oder Feldgärten gibt es noch als seltene Sonderform *Gemein-* den dörflichen Gemeinschaftsgarten. In Steinbach an der Haide im nördlichen Frankenwald *schafts-* füllt er den ganzen Anger des Dorfes aus. Zu jedem Hof und Haus gehört dort ein Stück Gar- *gärten* tenland, das Ganze durch bescheidene Erdwege aufgeteilt, Gemüse, Blumen und Kräuter in bunter Mischung. Drumherum scharen sich die Höfe und Häuser zusammen mit der Kirche. Die Haus- oder Scheunenwände mit Spalierbäumen, einer Kletterrose am Hauseck, bescheidenen Vorgärten, hin und wieder eine Baumkrone die Dächer überragend, prangende Blumenkästen auf den Fensterbänken im Sommer. In früheren Jahrzehnten diente dieser Angergarten als Gemeinschaftsgarten im Frühjahr der Anzucht der Rübenpflanzen für die hinter den Häusern und Höfen beginnenden Felder der sich kilometerweit bis zum Wald erstreckenden Hofgeländeflur.

Vor den Toren der Stadt oder des Marktes und außerhalb der Mauern scharen sich in unter- und mittelfränkischen, innerörtlich von altersher beengten Ackerbürger- und Weinhäckerorten die Gärten, wie hier bei Sommerhausen. Ein besonders schönes Beispiel dieser Art sind die Gärten vor der Stadtmauer von Iphofen (ohne Bild).

Im nahegelegenen Weinort Eibelstadt ist es ähnlich. Beide Orte liegen am Main zwischen Würzburg und Ochsenfurt.

Hof und Haus mauerumgeben, im Hof ein blühender
Birnbaum. In Schnaid im Landkreis Bamberg.

Fachwerkhaus, Mauer und Lattenzaun, vor der Mauer eine
üppige **Hortensie** (Hydrangea macrophylla) in Messenfeld
im Landkreis Coburg. Die Mauer, Hof und Garten
teilweise oder völlig einhegend, war und ist als Zeichen von
Reichtum nur großen Höfen vorbehalten.

Zugegeben, das heitere **Gartenhaus** steht nicht im Garten eines Bauernhofes, nicht im Garten einer Bäuerin, denn die Muse zur Betrachtung des Gartenwerkes fehlte ihr meistens. Es steht im Garten der Frau des Gutsverwalters Werner beim Schloß Schwarzenberg in der Nähe von Scheinfeld.

Der üppige **Rosenbogen** *ist ebenfalls ein seltenes Beispiel in ländlichen Gärten (Untergreuth bei Frensdorf im Landkreis Bamberg). Solche Rosenbögen sind sehr selten in den Gärten der Bäuerinnen, waren diese doch ganz auf Nutzen und selten auf Repräsentation angelegt.*

Das Blumenjahr im Bauerngarten

In den Frühling des Blumengartenjahres lassen wir uns durch Johann W. von Goethe mit

> „Ich kann sie kaum erwarten
> die erste Blum im Garten,
> die erste Blüt am Baum…"

(vertont in den Schubert-Liedern) einführen.

Blumen-garten

Einige Arten der Blumen erheben ihre Häupter mit einer majestätischen Miene und überschauen wie Oberherren den ganzen Blumenplatz. Andere scheinen sich ein gemäßigteres Ziel gesetzt zu haben und gehen nicht weiter als zum mittleren Rang. Einer, der die Heraldik verstünde, würde sie den kleinen Adel des Blumengeschlechts nennen, der frei von allen hochsteigenden Absichten ist. Etliche kriechen ohne Ehrgeiz auf dem Boden und scheinen das gemeine Volk zu sein. Einige sind mit zierlichen Streifen zu unterscheiden, andere mit strahlenden Flecken besetzt. Wieder andere haben das Aussehen, als wenn sie artig gepudert und mit Fransen geziert wären, da hingegen andere einfältig mit ihrem Aussehen und ungezwungen in ihrem Putze sind und sich damit begnügen, daß sie mit einer nackten Einfalt gefallen. Einige tragen den Purpur der Monarchen, einige scheinen am schönsten in der jungfräulichen Weiße. Nur alleine Schwarz, das traurige Schwarz wird in der Kleiderkammer des Frühlings nicht zugelassen.
Hier stehet ein Kriegsmann mit einem blutroten Rock angetan, weiterhin tritt ein artiger Stutzer einher, der seine Federn in den Regenbogen scheinet getaucht zu haben. Einige öffnen sich in der Gestalt artiger Becher oder senken sich wie ein Haufen schöner Glocken oder drängen

sich zusammen wie eine angenehme Gesellschaft. Sie sind unfähig sich zu vermischen und beschauen sich gegeneinander mit dem Entschlusse, sich als Nebenbuhler den Preis der Schönheit streitig zu machen. Eben durch diesen Gegensatz wird eine jede von ihnen bis zur höchsten Lebhaftigkeit verschönert.

Die 1746 erschienene Schilderung des Blumengarten stammt von dem Engländer HERVEY. Das Buch ist in Hamburg 1754 als deutsche Übersetzung bereits in der 3. Auflage erschienen, unter dem deutschen Titel „Betrachtungen über die Herrlichkeit der Schöpfung".

Der Name der **Christ- oder Schneerose** (Helleborus niger) sagt uns schon, daß die Pflanze ganz am Ende des Gartenjahres oder an dessen Anfang einzuordnen ist. Bei uns ist sie die erste blühende weil ausdauernde Zierpflanze, die sich, wenn auch selten, in einer Ecke des Gartens oder Staudenbeetes zur besonderen Freude des Betrachters findet. An ihrer Stelle kann statt der **Schwarzen Nieswurz**, wie die aus dem Alpengebiet stammende Christrose auch heißt, die **Grüne Nieswurz** (Helleborus viridis) stehen.

Eine der wenigen heimischen Arten in unseren Gärten ist die, direkt aus unseren heimatlichen Laubwäldern stammende **Frühlingsknotenblume**, der **Märzenbecher** oder das **Große Schneeglöckchen** (Leucojum vernum). Dort wo sich in Gärten der Frankenalb der Märzenbecher fand oder noch findet, wuchs er häufig auch in den nahen Wäldern wild. Ganze Vorkommen der schönen und bescheidenen Frühlingspflanze wurden durch das Ausgraben für die Vorgärten ausgerottet. In einer Ecke des Gartens bescheiden, wie vor den Unbilden des Nachwinters Schutz suchend, duckt sich auf unserem Bild eine Herde des zarten Frühlingskünders.
Das **Schneeglöckchen** (Galanthus nivalis) ist dagegen in unseren Gärten eine neuere, noch nicht so sehr verbreitete Frühlingsart (ohne Bild).

Auch der **Krokus** ist eine bisher seltene Art unserer
ländlichen Gärten und mehr in den Vorgärten und
Anlagen der Städte zu finden. Die bei uns ostereierbunt
blühenden Krokus- oder Safranarten (Crocus ...) gehören
mehreren Arten an, meist aus dem östlichen
Mittelmeerraum stammend, deren wilde Stammpflanzen
sogar teilweise unbekannt sind.

Die duftende **Hyazinthe** (Hyazinthus orientalis) ist eine
der Zwiebel-Zierpflanzen orientalischer Herkunft, die im
16. Jahrhundert durch Vermittlung kaiserlicher Gesandter
am Türkischen Hof in Konstantinobel zu uns gelangten.
Was mag die fremdartig anmutende Pflanze mit ihrem
wundervollen Duft für die damalige Zeit bedeutet haben?
Die duftlose und viel bescheidenere **Traubenhyazinthe**
(Muscari racemosum) findet sich häufig in den Beeten und
Rabatten zwischen anderen Frühlingsblühern in den
Vorgärten nicht nur der Dörfer.

42

*Eine in ländlichen Gärten ehemals weiter verbreitete Frühlingsart ist neben den verschiedenen Primelarten die „altmodische" **Aurikel** (Primula x hortensis).*
Um die Wende vom 18. zum 19. Jahrhundert gab es eine regelrechte Aurikei-Liebhaberei mit insgesamt etwa 1000 Sorten im Handel (KRAUSCH 1992).
Im Bildhintergrund zeigt sich das Vergißmeinnicht (Myosotis spec.), ebenfalls eine häufige, sich selbst aussamende Lieblingspflanze der ländlichen Gärten.

*Das **Maßliebchen** oder **Tausendschön** (Bellis perennis), reichlich, weiß, rosa oder rot blühend, ist auch so eine biedermeierlich anmutende Art wie Aurikel und Vergißmeinicht.*

Weit verbreitet findet sich die **Osterglocke** oder
Gelbe Narzisse *(Narzissus pseudonarzissus) in unseren
Gärten. Die zahlreich vorhandenen Formen und
Züchtungen zeigen uns das starke gärtnerische Interesse an
dieser Art seit langer Zeit.*
*Im Bild mit das **Stiefmütterchen** (Viola wittrockiana), eine
ebenfalls sehr häufige und beliebte Art der Bauerngärten
und Friedhöfe.*
*Auch die **Weisse Narzisse oder Dichter-Narzisse**
(Narzissus poeticus) ist mittlerweile in vielen Züchtungen
formenreich verbreitet (ohne Bild).*

*Es gibt kaum einen Bauern- oder ländlichen Garten
ohne die im zeitigen Frühjahr mit vielen goldenen Blüten
reichblühende **Kaukasische Gemswurz** (Doronicum
x columnae). Vor ihr wurde die **Kriechende Gemswurz**
(Doronicum pardalianches) in unseren Gärten kultiviert.
Sie findet sich heute noch verwildert (z. B. am Waldstein im
Fichtelgebirge vermutlich als Burggarten-Flüchtling).*

44

*Weithin prahlen im zeitigen Frühling die **Forsythien** oder der **Goldflieder** (Forsythia x suspensa) im goldenen Schmuck ihrer zahllosen Trichterblüten. Seit 1833 ist die aus China stammende Art bei uns in Europa bekannt. Die mittlerweile in vielen Formen und Züchtungen vorkommende Forsythie, die zur gleichen Pflanzenfamilie wie der Ölbaum gehört, hat sich längst die ländlichen Gärten und Dörfer erobert.*

*Die exotisch anmutende **Kaiserkrone** (Fritillaria imperialis) ist längst eine echte Bauerngartenpflanze geworden. Aus den Hochgebirgen Mittelasiens stammend, kam sie zunächst aus persischen und türkischen Gärten 1573 zu uns nach Europa und blühte 1576 zum ersten Mal in Wien im Garten von Kaiser Maximilian II. Später entwickelte sie sich zur Prachtpflanze der Barockgärten und eroberte sich nachfolgend die Gärten der Dörfer. Heute kommt die ursprünglich orangerot blühende Art in vielen Sorten und auch gelbblühend vor.*

45

*In den zentralasiastischen Hochgebirgen beheimatet
ist die schöne Frühlingsblume **Bergenie** (Bergenia
crassifolia), bzw. meist gärtnerische Hybriden von
7–10 verschiedenen Arten aus der Familie der
Steinbrechgewächse.*

Die Tulpenschwärmerei fand ihren Niederschlag in
dem 1847 in Paris erschienenen Buch „Les Fleurs
Naturelles" von Jules Lachaume:

Liebesflamme
Die Tulpenknospe gleicht einer Flamme. Die
auffallenden Farben der Tulpen symbolisieren
ausgezeichnet die Leidenschaftlichkeit einer
aufkeimenden Liebe. Die Tulpe ist schlechthin die
Liebesblume der Orientalen. In Holland war man in
vergangenen Tagen in die Tulpen so verliebt, daß
man eine seltene Tulpenzwiebel für ein Vermögen
verkaufen konnte.

*Die aus dem östlichen Mittelmeerraum stammende **Wilde
Tulpe** (Tulipa sylvestris) findet sich heute noch in Franken
in Schloßparks sowie in Hecken und Weinbergen
verwildert. Die **Garten-Tulpe** (Tulipa gesnerana)
(im Bild), erstmals seit 1559 in Deutschland, hat sich in
vielen Formen, Sorten und Farben im Sturm alle Gärten
erobert. Neuerdings finden auch wieder verschiedene
Wildarten Eingang in unsere Gärten.*

Die **Kaukasische Gänsekresse** (*Arabis caucasica*),
bei uns als Steingartenpflanze kultiviert, ist häufig auch in
der unteren Etage der Bauerngärten zu finden.
Die dicht grüngrau behaarte, niedrige Pflanze bildet
reichblühend dichte Blütenpolster. Sie ist in den
Hochgebirgen des östlichen Mittelmeerraumes und
Südasiens beheimatet und verwildert aus unseren Gärten
in die Nachbarschaft. So findet sie sich auch an Burgfelsen
(z. B. Hiltpoldstein) oder an den am Hang gelegenen
Dolomitsteinmauern von Gartenseinfassungen.

Das **Filzige Hornkraut** (*Cerastium tomentosum*)
ist ebenfalls eine häufige Steingartenpflanze, die, wie die
vorige Art, reichblühend am Beetrand oder in der Nähe des
Gartenzaunes wächst. Auch sie, die in den mittel- und
süditalienischen Gebirgen beheimatet ist, verwildert leicht
aus unseren Gärten und deshalb kann man ihr schon häufig
an Böschungen und um Kellereingänge im Dorf oder am
Dorfrand verwildert begegnen.

Das **Tränende Herz** (Dicentra spectabilis)
sieht mit seinen lieblichen Blüten aus, als wäre es seit
undenklichen Zeiten Bestandteil unserer Gärten. Die aus
China stammende Art ist aber so lange noch gar nicht
bekannt und in Kultur bei uns.

Die **Berg-Flockenblume** (Centaurea montana),
in den Alpen und den im Umkreis der Alpen gelegenen
Hochgebirgen beheimatet, gehört dagegen seit langer Zeit
zum Artenbestand unserer Gärten und findet sich deshalb
sogar schon hin und wieder in lichten Wäldern verwildert
(und in wärmeliebenden Wäldern fränkischer Landschaften
vielleicht sogar heimisch).

48

Die **Großblättrige Brunnera** (Brunnera macrophylla) findet sich noch relativ selten in unseren Gärten. Die Heimat der dem Vergißmeinnicht sehr ähnlich sehenden Pflanze ist der Kaukasus.

Die **Schwertlilie** ist dagegen eine besonders häufige Frühlingspflanze unserer Gärten seit altersher. Neben der **Deutschen Schwertlilie** (Iris germanica) sind einige andere Arten in unseren Gärten zu finden, bzw. an der Züchtung großblumiger Hybriden beteiligt.

49

Der **Türkische** oder **Orientalische Mohn** (Papaver orientale) ist wie die **Brunnera** oder das **Stauden-Vergißmeinnicht** im Kaukaus beheimatet. Von dort wurde er Anfang des 18. Jahrhunderts durch den französischen Botaniker Tournefort nach Europa gebracht. Mit seinen großen weitgeöffneten und leuchtend-roten Blüten und den interessanten Blättern gehört er heute zum Arten-Grundbestand aller ländlichen Gärten.

Dem **Schneeballstrauch** (Viburnum opulus var. roseum) können wir noch hin und wieder, wenn auch wohl mit zurückgehender Tendenz, in unseren Gärten begegnen. Der Schneeballstrauch ist eine Züchtung aus dem **Gewöhnlichen Schneeball** oder **Wasser-Schneeball** (Viburnum opulus L.), der bei uns, in Auengebüschen und an Bachrändern vorkommend, beheimatet ist.

Der **Flieder** oder **Gewöhnliche Flieder** (*Syringa vulgaris*), *wohl der beliebteste und älteste Blütenstrauch unserer Dorfgärten und wie der „Falsche Jasmin" ein weiterer auf der Balkanhalbinsel beheimateter Duftstrauch, wird seit dem 16. Jahrhundert bei uns in Mitteleuropa kultiviert. Sicher zuerst in den Burggärten, fand er rasch Eingang in die dörflichen Gärten und die Kirchenumgebung. Viele alte Verwilderungen an Burgbergen, wie z. B. in Pottenstein, Tüchersfeld und Hiltpoldstein, zeigen uns den Weg seiner Ausbreitung. Dort findet er sich auch noch in seiner ursprünglich einfachblühenden Form, während er in den Gärten heute in vielen Formen und Züchtungen verbreitet ist.*
Der süße Duft seiner vielen Blütenrispen versüßt die Luft der Maienabende, und ließ auf dem Weg zur oder von der Maiandacht sehnsüchtige Gedanken in manchem Lockenköpfchen aufkeimen. Eigenartigerweise wird er bei uns häufig fälschlich als „Holler" und der Holunder gegendweise als „Flieder" bezeichnet.

Der **Goldregen** oder **Gewöhnliche Goldregen** (*Laburnum anagyroides*) *ist mit seiner goldgelben Blütenfülle im hohen Frühling oder Frühsommer eine weitere, wenn auch seltenere Zierde unserer Gärten. Der in allen Teilen giftige (und in größerer Menge sogar tödliche) Strauch ist in Südeuropa beheimatet und bei uns Zierstrauch seit dem 16. Jahrhundert.*

51

Dem **Goldranunkelstrauch, Goldröschen** oder der **Kerrie** (Kerria japonica) begegnen wir als halbhohen einfach- oder gefülltblühenden Blütenstrauch noch recht häufig in unseren Gärten. Beheimatet ist er in Zentral- und Westchina.

Der „**Jasmin**", ein häufiger Blütenstrauch unserer Gärten und Dörfer, heißt offiziell **Pfeifenstrauch** (Philadelphus coronarius). Seine Heimat sind die wärmeliebenden Flaumeichengebüsche Südosteuropas. Mit der Fülle seiner cremeweißen Blüten und deren starkem Duft ist er neben dem Flieder einer der beliebtesten Blütensträucher unserer Gärten (und der alten Bürgergärten in der Stadt).

Die **Gelbe Taglilie** (Hemerocallis flava), die wohlriechende, in Blatt und Blüte elegantere der beiden Taglilienarten unserer Gärten, ist zugleich die seltenere.

Dagegen ist die **Gelbrote Taglilie** (Hemerocallis fulva) häufig in Bauern- und Adelsgärten kultiviert und neigt, wie die Gelbe Taglilie, auch zur Verwilderung. Sie wächst und blüht auch noch im Halbschatten. Die beiden Arten in Ostasien beheimatet, genießen schon seit längerer Zeit Heimatrecht in unseren Gärten.
Neuerdings werden auch andere ostasiatische Arten bei uns kultiviert und gezüchtet, von denen zu fürchten ist, daß diese großblumigen Hybriden unsere beiden Arten allmählich verdrängen werden.

Die **Himmels-** oder **Jakobsleiter** (Polemonium caeruleum) gehört, wenn auch nicht so häufig vorkommend, zum festen Bestand unserer dörflichen Gärten. Sie ist eine nordische Art und in Deutschland vielleicht gegendweise sogar urwüchsig.

Auch die **Akelei** (Aquilegia vulgaris) ist ursprünglich eine heimische Wildpflanze. Schon und vor allem im Mittelalter war sie eine besonders beliebte Gartenpflanze und uns von daher aus Darstellungen auf Tafelbildern bekannt, findet sich die Art in vielen Farben, Formen und Kreuzungen mit nordamerikanischen Herkünften in unseren Gärten noch immer zahlreich; selten auch einmal in biedermeierlich anmutenden gefülltblühenden Formen.

„Schön erhebt sich der Aklei und senkt das Köpfchen herunter. Ist es Gefühl? Oder ist es Mutwill?
Wir wissen es nicht."
(Johann Wolfgang von Goethe)

Ganz hoch oben in der Beliebtheit seitens der bäuerlichen Gärtnerinnen stehen die folgenden Arten:

Die leuchtend-scharlachrot blühende **Brennende** oder **Flammende Liebe** (Lychnis chalcedonica), im südlichen Sibirien beheimatet, war Mitte des 16. Jahrhunderts nach Mitteleuropa gelangt. Für Goethe war sie ein besonderer Liebling seines Blumengartens und „als Gartenschmuck das Schönste, was man sehen kann". Bei uns gilt die Brennende Liebe geradezu als Verkörperung des ländlichen Blumengartens. Und die scharlachrote Brennende Liebe steht häufig neben der weißen **Madonnenlilie** (Lilium candidum), einer unserer ältesten Zierpflanzen überhaupt. Im Vorderen Orient und dem östlichen Mittelmeergebiet beheimatet, war sie bei den Griechen 1500 v. Chr. schon so beliebt, daß sie auf Wandgemälden in Kreta Darstellung gefunden hat. Und ähnlich hoher Bedeutung erfreute sie sich im alten Ägypten und später wieder bei den Römern. In Mitteleuropa nimmt sie im „Capitulare de villis" um 800 als Heil- und Zierpflanze die erste Stelle in der Aufzählung ein. Die uralte Beliebtheit als Sinnbild der Schönheit findet ihre Fortsetzung in der christlichen Kirche als Blume der Reinheit und der Gottesmutter Maria.

Die **Feuer-Lilie** (Lilium bulbiferum) ist in den Gebirgen des südlichen Europa (z. B. am Gardasee) beheimatet und findet sich etwa seit dem 16. Jahrhundert in unseren Gärten als eine ebenfalls sehr beliebte, wenn auch etwas altmodisch anmutende Zierpflanze.

Mit der **Pfingstrose** (Päonia officinalis) haben wir weiter eine der beliebtesten Bauerngartenpflanzen vor uns. Als schöne Wildpflanze in den Südalpen (z. B. in den Bergen über dem Gardasee) wachsend, findet sie sich heute in unseren Gärten in vielen Züchtungen um Pfingsten im hohen Frühling und damit in der Hochzeit der Blumen-Bauerngärten blühend als üppige Schönheit neben der aus Ostasien stammenden Päonia albiflora, während die höherwüchsigere, strauchige **Strauchpäonie** (Päonia moutan) noch eine seltene, weil frostempfindliche Pflanze der Parkanlagen und Schloßparks ist. Im Mittelalter kam die Pfingstrose, vor allem auch als Arzneipflanze, in unsere Gärten. So ist uns ein prächtiger einfachblühender Pfingstrosenbusch auf dem bekannten „Paradiesgärtlein"-Gemälde bekannt.

Das **Garten-Silberblatt** (Lunaria annua), im Volks-
mund auch Judasschilling genannt, ist mit seinen violetten
Blüten zwar ein häufiger, auch schöner, aber eben nur sehr
kurzer Schmuck unserer Gärten. Seine eigentliche Zeit ist
der Herbst, wenn die vertrockneten Sprosse mit
den breitovalen Fruchtschoten geschmückt sind, deren innere
Scheidewände seidig-silbern glänzend später in
Trockensträußen den Winter im Haus überdauern.
Gelegentlich ist das **Einjährige Silberblatt** oder die
Mondviole auch einmal am Dorfrand oder in Dorfnähe
verwildert zu finden. Beheimatet ist es in den Hochgebirgen
von Alpennähe und des nördlichen Mittelmeerbereiches in
Südeuropa.

Beim **Bandgras** oder **Buntgras** (Phalaris arundinacea var.
picta) handelt es sich um eine Ausnahme im bäuerlichen
Garten, besitzt die Art doch weder attraktive Blüte noch
Duft oder Frucht. Seine Sprosse mit den grünweiß-gelblich
gestreiften Blattspreiten wurden wohl als zierendes Beiwerk
im Blumenstrauß verwendet. Es ist eine alte Gartenform
vom heimischen, weit verbreiteten Rohrglanzgras, das an
Bächen und in Talgründen häufig anzutreffen ist. Als
Gartenpflanze ist es mindestens seit dem 16. Jahrhundert
nachweisbar und findet sich auch heute noch in vielen
fränkischen Bauerngärten als typische Art und daraus auch
manchmal verwildert oder verschleppt.

Von mittelmeerischen und atlantischen Felsküsten kam die *Levkoje* (Matthiola incana) in unsere Gärten und ist dort seit dem 16. Jahrhundert kultiviert und auch heute noch immer eine beliebte, wohlduftende Zierpflanze, neben dem ebenfalls wohlduftenden, seit dem Mittelalter kultivierten und noch immer häufigen **Goldlack** (Cheiranthus cheiri), gelb oder braun blühend, aus dem östlichen und südlichen Mittelmeerraum stammend (unteres Bild).
Der giftige Goldlack fand früher auch als Heilpflanze Verwendung. Auch er findet sich im „Paradiesgärtlein" eines oberrheinischen Meisters dargestellt.

„Der Goldlack blüht in den Ruinen, an den Fenstern der Hütten armer Leute und an den Mauern der Gefängnisse, wo er die Aussicht der Gefangenen verschönert."
(Jules Lachaume: Les Fleurs Naturelles, Paris 1847)

Der **Pfirsichblättrigen Glockenblume** (*Campanula persicifolia*), *einer heimischen Art unserer Wälder, kann man mit ihren schönen porzellanernen, blauen oder weißen Blütenglocken hin und wieder auch in unseren Gärten begegnen.*

Glockenähnliche Blüten besitzt auch der rot und weiß blühende attraktive **Fingerhut** (*Digitalis purpurea*). *Er ist allein oder in Gruppe stehend eine besonders stolze Erscheinung in unseren Gärten. Wild oder verwildert kommt er auf Schlägen, Blößen und an Wegrändern in Wäldern mit saueren Böden, vor allem in Waldgebirgen mit atlantisch beeinflußtem Klima (z. B. im Harz, seltener im Frankenwald, Fichtelgebirge und Spessart), oft in großer Zahl und bestandsbildend vor. Er ist nicht ausdauernd, also keine Staude, vermag sich aber durch Aussamen ständig zu erneuern und im Garten zu erhalten.*

Die großblütige und in unseren Gärten häufig kultivierte, blau, rosa oder weiß blühende **Marien-Glockenblume** (*Campanula medium*) ist dagegen nur eine einjährige, wenn auch sehr stattliche Sommerblume, die alljährlich wieder nachgezogen werden muß. Ihre Heimat sind die westlichen Mittelmeerländer.

Die **Knäuel-** oder **Büschel-Glockenblume** (*Campanula glomerata*) kommt dagegen in Magerwiesen und an Waldrändern Frankens als Wildpflanze vor. Sie ist ausdauernd. Ihre Gartenformen sind höherwüchsiger und großblütiger wie die heimische Wildform.

Die Glockenblume, weiß oder blau blühend, den Stengel von unten bis oben mit kurzgestielten großen Blüten besetzt, ist eine Züchtung der heimischen **Pfirsich-blättrigen Glockenblume** *(Campanula persicifolia) nahestehend. Reichblühend und großblütig ist sie jetzt eine häufig zu findende Bauerngartenpflanze.*

Die **Große Margerite** *(Chrysanthemum maximum), oft auch als gefüllte „Edelweißmargerite" (wie abgebildet) kultiviert, ist erst gegen Ende des 19. Jahrhunderts in unsere Dörfer gelangt. Dort ist sie heute noch eine häufige und dankbare Sommerstaude. Neben dieser großblütigen, aus den Pyrenäen stammenden Margerite findet sich neuerdings auch hin und wieder einmal unsere heimische* **Wiesen-Wucherblume** *oder* **-margerite** *(Leucanthemum vulgare) in unseren Gärten.*

Die **Garten-Nelke** *(Dianthus caryophyllus) ist eine sehr alte und gleichermaßen beliebte Gartenpflanze, die im Mittelmeerraum beheimatet ist. Auch und vor allem des Wohlgeruches ihrer Blüten wegen wird die ausdauernde Nelke mit einfachen und gefüllten Blüten in vielen Formen und Farben bei uns kultiviert. In der Mitte unseres Jahrtausends war sie eine neue und moderne Blume. Sie findet sich auch auf mehreren Gemälden dieser Zeit, so z. B. im Bild des „Mannes mit der Nelke" (zwischen 1430 und 1450) von Jan van Eyck.*
Ein Liebhaberzüchter hatte 1793 ca. 1200 Nelkensorten in seinem Angebot.

Goethes Beachtung und Liebe zu den in seiner Zeit sehr beliebten Nelken gab er Ausdruck mit:
„Nelken! Wie find ich euch schön!
Doch alle gleicht ihr einander, unterschiedet euch kaum, und ich entscheide mich nicht."

In unseren Gärten ist die Garten-Nelke, einfach oder gefüllt, nur noch recht selten zu finden. Wurde sie doch später durch die größere **Chinesische Nelke** *(Dianthus chinensis), höherwüchsig und sehr großblütig und in vielen Farben und Formen gezüchtet, verdrängt. Allerdings ist die Chinesische Nelke nicht ausdauernd und muß alle Jahre wieder neu aus Samen gezogen werden.*

62

Die **Kranz-Lichtnelke** (Lychnis coronaria) ist eine ausdauernde und sich zudem auch selbst-aussamende schöne Blume unserer Gärten. Blätter und Sproß sind dicht weißfilzig behaart. Dazu stehen die aufgeblüht radförmig ausgebreiteten meist dunkelroten Blüten in einem schönen Kontrast. Unsere Kranz-Lichtnelke ist eine weitverbreitete Wildart in Südosteuropa. (Im alten Griechenland war sie ein Attribut der Göttin Aphrodite.)

Duftlos, aber in vielen Farben und Formen vorkommend, reiht sich die **Bart-** oder **Studentennelke** (Dianthus barbatus), nicht minder beliebt, in den Frühlings- und Frühsommer-Blütenreigen unserer Gärten ein. Die in Südosteuropa beheimatete Bartnelke besitzt mit „Kartheisernelke" einen weiteren Volksnamen, der die Beliebtheit der dankbaren Art, die bei uns sogar zu verwildern vermag, zeigt.

*Ein ungewöhnlicher Anblick ist der Hausgarten mit einer einzigen einjährigen Sommerblumenart, dem **Fuchsschwanz** (Amaranthus caudatus) dicht angefüllt. Bild und Garten tragen eine ganz eigene Handschrift, fernab von allen Bauerngarten-Vorschriften, und dennoch ist es ein ganz typischer Bauerngarten (Hohenmirsberg auf der Albhochfläche der Nördlichen Frankenalb).*

64

Die **Dreimasterblume** (Tradeskantia x virginiana)
ist eine alte und seltene Blütenpflanze in ländlichen
Gärten. Seit dem frühen 17. Jahrhundert wird die in
Nordamerika beheimatete Staude in europäischen Gärten
kultiviert und in zahlreichen Hybriden gezüchtet.
Die winterharte und bis 0,80 m Höhe erreichende Staude
besitzt auffallende lineal-lanzettliche Blätter. Ihre meist
tiefblauen Blüten stehen in Dolden beieinander, die von ein
oder zwei hochblattähnlichen Laubblättern umfaßt werden.

Goldmelisse wird die aromatisch duftende und ebenfalls
in Nordamerika beheimatete **Indianernessel** (Monarda x
didyma) auch genannt. Die in unseren Gärten früher
zunächst als Heilpflanze kultivierte Staude blüht rosa, rot
oder violett und wird in vielen Hybridformen heute nur
noch als schönblühende Zierpflanze kultiviert.
Die duftende Nachtfalterblume ist im östlichen
Nordamerika beheimatet und wird schon seit dem
18. Jahrhundert in Deutschland kultiviert.

Der schmale Vorgarten zeigt die ganze Farbigkeit dörflicher Sommerblumenbeete. Den Aspekt bestimmen die goldenen Blüten der **Ringelblume***. Im Vordergrund steht die Pflanze „**Schnee auf dem Berge**", eine aus Nordamerika stammende Wolfsmilchart. Beides sind Arten, die sich selbst aussamen und jedes Jahr von selbst wieder erscheinen. Dazwischen stehen* **Bartnelken** *und* **Mutterkraut***. Das Ganze ist eine besonders pflegeleichte Blumenpracht.*

66

Der **Staudenphlox** *(Phlox x paniculata) ist eine der häufigsten Blütenstauden in ländlichen Gärten. Er ist dankbar in der Blüte, recht robust und kommt deshalb in verschiedenen Farben und vielen Züchtungen vor.*
Die Heimat der wohlriechenden Pflanze ist Nordamerika. Seit dem 16. Jahrhundert wird sie in unseren Gärten kultiviert.

Der **Hohe Rittersporn** *(Delphinium x elatum), in den Hochstaudenfluren der Ostalpen und im Riesengebirge beheimatet, ist eine prächtige und sehr häufige Blütenstaude unserer Gärten, die dort in verschiedenen Farben und vielen Züchtungen vorkommt (Dreuschendorfer Mühle im Landkreis Bamberg).*

Das **Große Löwenmaul** (Antirrhinum majus) fehlt wohl kaum einem Sommerblumenbeet. Es ist neben der Sommeraster (Callystepus chinensis) die beliebteste einjährige Art unserer Gärten. Westmediterran beheimatet wird die Pflanze mindestens seit dem 16. Jahrhundert bei uns kultiviert. Die in vielen Farben blühende Art wurde bereits im 1613 erschienen „Hortus Eystettensis" mit einer Abbildung bedacht.

Eine attraktive Blütenstaude ist der **Blaue Eisenhut** (Aconitum napellus), Giftpflanze und frühere Heilpflanze, die heute nur noch als beliebte Blütenstaude in unseren Gärten kultiviert wird. Neben dem Blauen Eisenhut kommt auch der blauweiß-gescheckt blühende **Bunte Eisenhut** (Aconitum variegatum) vor.

68

Der **Kokardenblume** (Gaillardia x grandiflora)
kann man noch relativ häufig in ländlichen Gärten
begegnen. Ihre Heimat ist Nordamerika. Die Staude für
sonnige und nährstoffreiche Standorte mit creme- und
karminfarbenen, orangeroten und -braunen und dunkelroten Blüten gibt es in vielen Kreuzungen und Sorten.

Eine der bekanntesten und häufigsten Zierpflanzen
ländlicher Gärten ist die **Ringelblume** (Calendula
officinalis). Ehemals Arzneipflanze ist sie heute fast
ausschließlich Zierpflanze, die nur noch selten zur
Herstellung einer Handcreme benutzt wird. Zwar nur
einjährig samt sich die monatelang blühende schöne
Pflanze immer wieder selbst aus. Sie ist in Südeuropa
beheimatet, ist in einer Vielzahl von Sorten im Handel und
blüht gelb oder orange, einfach und gefüllt.

Heiter wirkt der vor allem mit einjährigen Sommerblumen, mit **Bechermalven, Tagetes** *und* **Schmuckkörbchen** *dicht bepflanzte bäuerliche Hausgarten in Kobelsberg (zwischen Plankenfels und Aufseß im Landkreis Bayreuth) in seinem spätsommerlichen Blühaspekt.*

Die **Duft**- oder **Garten-Wicke** *(Lathyrus odoratus)*
ist eine einjährige rankende Sommerblume für den
Gartenzaun oder eine andere Kletterhilfe. Sie kommt in
verschiedenen Spielarten und Farben vor und ihre großen
Schmetterlingsblüten sind sehr wohlriechend. Sie wird seit
dem 18. Jahrhundert in unseren Gärten kultiviert. Ihre
Heimat sind das südliche Italien und Sizilien.

Die **Große Kapuzinerkresse** *(Tropaeolum majus)*
ist eine in Mexiko beheimatete und seit der zweiten Hälfte
des 17. Jahrhunderts bei uns kultivierte einjährige
Zierpflanze, die sich vor allem in ländlichen Gärten noch
immer großer Beliebtheit erfreut.

Die schöne **Stockrose** oder **-malve** (*Althaea rosea*)
ist bei uns eine alte Kulturpflanze, deren Heimat der
östliche Mittelmeerraum ist. Die nur einjährige und doch
bis zu 3 m hohe stattliche Zierpflanze war zunächst als
Heilpflanze in unsere Gärten gelangt. Der Botaniker
Konrad GESSNER hat sie 1560 in Straßburg gesehen und
benannt, und Breughel hat sie um 1617 auf einem Gemälde
dargestellt. Auf dem Foto wetteifern die blühenden
Pflanzenspieße der Stockrose mit den Zaunspießen des
alten gußeisernen Gartenzaunes.
Der enge Standort zwischen Zaun und Mauer schützt die
blütenschweren Pflanzen vor dem Umfallen (in Burkheim
im Landkreis Lichtenfels).

Die **Garten-** oder **Trichtermalve** (*Lavatera trimestris*) ist
z. Z. eine ausgesprochen häufige Sommerblume unserer
Gärten und regelrecht „in Mode". Die beliebte Pflanze
kommt in verschiedenen Farben blühend vor. LOHMEYER
schreibt (1981) für das Gebiet des Mittel- und Niederheines
noch: „Fraglich, ob im Gebiet schon vor 1900 in Gärten auf
dem Lande kultiviert. Trotz ihres ansehnlichen und reichen
orangefarbenen Flors zählt sie zu den nur selten gezogenen
Einjahresblumen."

Ein spätsommerlicher ländlicher Vorgarten: Im Vordergrund leuchtet golden die **Kanadische Goldrute** (Solidago canadensis) und die **Hohe Gelbe Schafgarbe** (Achillea filipendulina). Zu Füßen des alles überragenden Kruzifixes blühen die **Dahlien**, während die **Herbstastern** noch nicht erblüht sind. Den Hintergrund des Gartens bildet vor dem Zaun ein **Fliedergebüsch**. (Hochstahl, auf der Albhochfläche im Landkreis Bayreuth.)

Die **Balsamine** (Impatiens balsamina) ist in Ostindien beheimatet und bei uns seit der zweiten Hälfte des 17. Jahrhunderts in gärtnerischer Kultur. In der Mitte des 19. Jahrhunderts war sie eine besonders beliebte einjährige Gartenpflanze, mit einfachen und gefüllten Blüten. Heute ist ihr in unseren Gärten nur noch selten zu begegnen.

In China und Japan, und damit ebenfalls in Ostasien, ist die **Sommeraster** (Callystephus chinensis) beheimatet. Sie wird seit dem 18. Jahrhundert bei uns in Gärten kultiviert und ist eine sehr beliebte einjährige Sommerblume, die einfach oder gefülltblühend in vielen Farben vorkommt. Es gibt auch selbst-aussäende einfachblühende Formen (Schlehen-Mühle im Landkreis Bayreuth).

74

Die **Cosmee**, auch **Schmuckblume** oder **Schmuckkörbchen** (Cosmos x bipinnatus), ist eine einjährige
Sommerblume, die in unseren ländlichen Gärten häufig
vorkommt. Ihre Heimat sind Mexiko und Texas in der
Neuen Welt. Ihre zarten Blüten schweben in weiß, rosa
oder rot über unseren ländlichen Gärten.

Die **Zinnie** (Zinnia x elegans) ist eine der schönsten
einjährigen Spätsommer- und Herbstpflanzen der
Bauerngärten. Ebenfalls in Mexiko beheimatet, wird sie seit
dem 18. oder dem Anfang des 19. Jahrhunderts bei uns in
vielen Spielarten kultiviert.

Samt- oder **Studentenblume** *(Tagetes patula und T. erecta) sind als einjährige Zierpflanzen in vielen Sorten und Formen häufig kultivierte Arten, deren Heimat Mexiko ist. Sie werden seit dem 16. Jahrhundert in einfachen und gefüllten Formen und vielen Hybriden als dankbare Sommerblumen, die vom Sommer bis in den späten Herbst blühen, in ländlichen und städtischen Gärten wie Anlagen kultiviert.*

Die **Strohblume** *(Helichrysum bracteatum) ist eine sehr beliebte, wenn auch nicht gerade häufige, einjährige Sommerblume für winterliche Trockensträuße. Sie scheint eine alte Bauerngartenpflanze, ist aber wohl erst seit dem 19. Jahrhundert bei uns kultiviert. Ihre Heimat ist das ferne Australien.*

76

Die **Gladiole** (Gladiolus-Hybriden) ist südafrikanischer Herkunft. Die stattliche Pflanze bei uns ist das Kreuzungsprodukt mehrerer Arten. Die Pflanze ist nicht winterhart, deshalb müssen ihre Knollen frostfrei überwintert werden.

Die **Dahlie** oder **Georgine** (Dahlia-Hybriden) ist in Mexiko und Guatemala beheimatet, und dort war sie zum Zeitpunkt der Eroberung Mexikos in der ersten Hälfte des 16. Jahrhunderts bereits bei den Azteken in Kultur. Sie wurde Ende des 18. Jahrhunderts nach Europa gebracht und hat hier eine rasche Ausbreitung erfahren. Die ältesten Sorten mit runden Blütenköpfen sind von dunkelroter Färbung oder mehrfarbig wie die abgebildete Pflanze. Beiden Formen kann man in Franken noch hin und wieder in ländlichen Gärten begegnen. In der Biedermeierzeit war die Georgine Modepflanze. Junge Züchtungen sind die Kaktusdahlien. Im Jahre 1934 waren weltweit schon 14 000 Dahliensorten bekannt.
Der Wurzelstock der nicht winterharten Pflanze muß im Winter frostfrei gelagert werden.

Das Garten-Blumenjahr neigt sich seinem Ende entgegen:

Vor dem Bauernhaus blühen gelbe **Pompondahlien**, *d.h. sie blühten, denn dieses Anwesen (in Röbersdorf im Landkreis Bamberg) mit seinen gefälligen Proportionen und den gedämpften Farben ist längst auch ein Opfer des Baggers geworden ...*

Die Äpfel reifen an den Bäumen des Hausgartens und wild flammen die bunten **Dahlien** *und die goldenen* **Rudbeckien** *(Rudbeckia laciniata „Goldball") in der nebligen Morgenfrühe ...*

Mit der Blüte der **Herbstchrysantheme** oder **Winter-aster** (Chrysanthemum indicum) geht der Herbst zu Ende und der Winter steht vor der Türe. Das drückt sich auch in der Namensgebung für die schöne Blütenstaude aus dem fernen Osten (China und Japan) aus. Die erst seit etwa 150 Jahren bei uns häufiger angepflanzte Art kommt in vielen Formen und Farben vor. Sie war schon in ihrer Heimat und damit im ostasiatischen Kulturkreis eine alte und beliebte Kulturpflanze. Bei uns wurde sie 1992 in 58 % von 55 untersuchten Dörfern mit ländlichen Gärten gefunden.

Die **Blasen-** oder **Judenkirsche** (Physalis alkekengi) wird nicht ihrer weißen und recht bescheidenen Blüten, sondern ihrer im Herbst aufgeblasenen Lampionfrüchte wegen kultiviert. Die in Südeuropa und Westasien beheimatete Art ist in den Bauerngärten und Dörfern eine noch vorhandene, etwas aus der Mode gekommene, leicht vermehrbare und deshalb auch verwildert vorkommende Art.

Sonnenblume

Die Sonnenblume ist trotz ihres ansehnlichen Gepränges zu nichts gut, es sei denn, daß ihre Samenkörner dazu dienen, Papageien zu füttern oder Öl aus ihnen zu pressen – so Jules LACHAUME in: Les Naturelles, Paris 1847.

Völlig anders liest es sich bei HERVEY: Meditations and Contemplations, London, 1746. (Deutsche Übersetzung Hamburg 1754.)

Ich bemerke eine Reihe starker und prächtiger Stengel, die in gehöriger Weise von einander gesetzt sind. Sie stehen wie Türme längs der Mauern einer befestigten Stadt oder sie erheben sich wie gleichhohe Spitzen mitten unter der Menge der Häuser. An ihrem Gipfel teilen sie sich in mehrere herabhängende Hülsen, aus denen in kurzer Zeit eine schöne Figur von einem besonderen und lehrreichen Charakter hervorkommen wird, die in eine vollkommene Zirkelform ausgerundet ist und sich auf freieste und mitteilenste Art weit öffnet und mit der Farbe geziert ist, die das Auge in stärkste Gefangenschaft setzt. Allein diejenige Eigenschaft, die ich hauptsächlich bewundere ist die, daß diese Blume so sehr in die Sonne verliebt ist. Wenn der Abend mit der Dunkelheit kommt, so läßt sie ihr Haupt sinken und faltet ihre Blätter zusammen. Sie trauert die ganze Nacht hindurch wie ein trostloser Liebhaber wegen der Abwesenheit der Geliebten. Allein sobald die Vorsehung die Augenlieder des Tages eröffnet, so wendet sie sich dem Ziel ihrer Leidenschaft zu, schmeichelt demselben den ganzen Tag, und verlieret ihren strahlenden Geliebten nicht aus dem Gesicht, solange er über dem Horizonte bleibt. Des Morgens hält sie ihre goldene Scheibe gegen Osten, des Mittags richtet sie sie aufwärts gegen die Mitte des Firmaments und des Abends folgt sie dem sinkenden Gestirn gegen Westen.

„Unsere" in Gärten und neuerdings auch auf Feldern kultivierte **Sonnenblume** *(Helianthus annuus) ist, wie viele andere, vor allem gelbblühende Sommerblumen, in Nordamerika beheimatet.*

Bäume

Die Hausgärten sind meist nur klein und Bäume, auch Obstbäume, brauchen viel Fläche, entziehen dem Boden viele Nährstoffe und beschatten mindestens im Bereich ihres Traufs. So braucht es nicht verwundern, wenn Obstbäume im Hausgarten die Ausnahme geblieben sind. Sie stehen neben dem Garten, im Hühnergarten oder in der Obstwiese hinterm Haus in einem Baumgarten beieinander.

Ausnahmen sind **Nußbaum** (Juglans regia) und **Birnbaum** (Pyrus communis), selten im Hofraum oder direkt neben dem Gartenzaun stehend. Eigenartig mutet auch hier wieder an, daß – obwohl das „Capitulare de Villis" eine Verordnung für kaiserliche Landgüter in Frankreich war –, sich trotzdem die meisten der dort genannten und empfohlenen Arten bei uns in Franken auch noch in der Gegenwart angebaut finden. Ausnahmen bilden dabei nur die Arten, die höhere Ansprüche an die klimatische Gunst einer Landschaft stellen wie Edelkastanie, Pfirsich, Mandelbaum, Pinie und Feigenbaum. Doch sogar hier gibt es Ausnahmen mit dem **Pfirsich**, der bisher selten gewesen, durch neuere Züchtungen mit geringeren Ansprüchen in unseren Gärten in Ausbreitung ist. Der **Feigenbaum** (Ficus carica) findet sich auch immer häufiger an geschützten Stellen in hausnahen Gärten zumindest als seltene Besonderheit. Der ebenfalls wärmeliebende und spätfrostempfindliche **Walnußbaum** kommt einzeln sogar noch bis zu einer Höhenlage von fast 730 m Seehöhe bei Grassemann im Fichtelgebirge vor. Zu erwähnen ist dabei die angenehme Dünnschaligkeit fränkischer Nußsorten. Die Früchte des Nußbaums waren langhaltende Vorratsfrüchte für den Winter. Ebenso verschiedene Birnensorten, die gegendweise in „Darren" als sogenannte „Hutzeln", d. h. Dörrobst, winterfest gemacht wurden zu Vitaminspendern in der vegetationslosen Zeit. Vom Birnbaum gab es Anfang unseres Jahrhunderts allein ca. 1500 verschiedene Sorten, heute eine unvorstellbare Fülle.

Auch vom **Apfelbaum** (Malus domestica), unserem häufigsten Obstbaum, waren Anfang dieses Jahrhunderts ebenso wie vom Birnbaum ca. 1500 verschiedene Sorten bekannt. In manchen Landschaften Frankens, wie im Gebiet um Forchheim-Ebermannstadt-Bamberg oder im Ochsenfurter Gau bei Würzburg, finden sich Einzelbäume und kleinere Baumbestände weit verstreut in den landwirtschaftlichen Fluren als ein wichtiges Element, der Landschaft ein ganz besonders Gepräge verleihend und zugleich einen Lebensraum für gefährdete Tierarten darstellend.

*Obst-
und-
Nuß-
bäume*

Apfelbaum

81

Mit dem Bild eines begeisterten Obstbauern
(Herr Michael Möhrlein aus Mistendorf, Lkrs. Bamberg),
mit dem fruchtenden Zweig einer „Welschen Schlehe“ oder
Schlehenpflaume soll das Thema Obstgärten wenigstens
kurz angerissen werden. Die dort anfallende Arbeit des
Pflanzens, Schneidens und Veredelns war, bis auf die
Mithilfe von Frau und Kindern bei der Ernte, die Arbeit
des Bauern als Gärtner.

Bäume finden sich nur selten im Garten, meist stehen sie außerhalb am Gartenzaun oder auf einem freien Grasplatz zwischen den Wegen im Dorf.

Süßkirsche	Die **Süßkirsche** (Prunus avium ssp. juliana) findet sich noch bis in höhere Lagen des Fichtelgebirges in besonders kleinfrüchtigen Formen an alten Einzelhöfen (Grassemann, Mähring, Felsleithen bei Oberwarmensteinach) in Reliktvorkommen. Häufig ist sie vor allem in der Fränkischen Schweiz, wo die Kirschenbäume in Baumgärten beieinander stehend, vor allem im Gebiet um Ebermannstadt-Streitberg, Gräfenberg und Forchheim die Dörfer im Frühling in weiße Wolken zu hüllen scheinen.
Zwetschge	Ähnlich ist es mit der **Zwetschge** (Sorbus domestica) mit ähnlicher Verbreitung und Häufung wie beim Kirschbaum schon angedeutet. Auch der Zwetschgenbaum steht in Baumgärten beieinander im Dorf, früher als Hühner- und Geflügelgarten genutzt, oder in den Obstgärten am Dorfrand, auf Feldrainen und in kleinen Beständen in der landwirtschaftlichen Flur verstreut beieinander. Die Früchte früher häufig in „Darren" als „Hutzeln" für Dörrobst verwendet, dienen heute fast nur noch der Bereitung von „Zwetschgenwasser", einem hochprozentigen Schnaps.
Seltene Arten	In den Dörfern oder an ihrem Rand kommt vereinzelt die **Pflaume** (Prunus insititia) in verschiedenen Sorten und Formen vor, dabei auch selten die **Mirabelle** (Prunus insititia var. syriaca) mit ihren köstlichen kleinen Früchten. Bei entsprechender Aufmerksamkeit lassen sich noch selten weitere Reste alter kleinfrüchtiger Kulturarten und -sorten aus der Zwetschgen-Verwandtschaft finden, so hellrot-mirabellgroßfrüchtige oder schlehenähnliche, blauschwarzfrüchtige **„Haferpflaumen"**- oder **„Kriechenbäume"**. Dies sind in unserer Zeit, in der nur noch großfrüchtige Obstsorten begehrt sind, letzte geschmacksinteressante und -intensive Kulturrelikte aus vergangener Zeit. Unsere Gegenwart zeichnet sich dagegen durch Vereinfachung und Einfalt aus und das Wissen und die Erfahrung um den Obstanbau, einem alten Kulturgut, unterliegt dieser Tendenz in besonderer Weise.
Obst-anbau	Europaweit geht die Entwicklung im Obstanbau zum Plantagenanbau mit leicht beerntbaren Niedrigbäumen. Von den einst mindestens 1500 verschiedenen Apfelsorten sind für den heutigen Verbraucher die Sortennamen von Golden Delicius, Gloster, Jonathan und Morgenduft ausreichendes Wissensinventar geworden. Zum Glück bemühen sich die Obst- und Gartenbauvereine in den Dörfern und Landgemeinden wieder vermehrt um die Erhaltung auch alter Obstsorten. So sind in den letzten Jahren in manchen Gegenden sogenannte Sichtungsgärten entstanden, die der Erhaltung und Pflege einer größeren Sortenvielfalt dienen sollen.
Seltene Obstsorten	Den **Quittenbaum** (Cydonia oblonga) in Transkaukasien, Turkestan und Persien beheimatet und früh bei den Griechen und Römern kultiviert und verehrt, kann man nur selten in Hausgärten oder an derem Rande begegnen. Seine goldgelben Früchte, bei uns zu Gelee oder Quittenwein verarbeitet, galten in der Antike als Symbol der Liebe und Fruchtbarkeit. Sie waren Attribute der Göttin Aphrodite, bzw. Venus und dieser als „Apfel der Venus" geweiht.

84

Der **Apfelbaum** am Rande eines blütenreichen Blumengartens ist die Ausnahme, meistens steht der Obstbaum außerhalb vom eigentlichen Hausgarten.

Spalierbäume, vor allem Birnenspalierbäume, vermögen wie der **Weinstock** dörfliche Anwesen sehr zu schmücken, sei es im Frühlingsflor zur Blütezeit oder wie hier fruchtbeladen im Herbst.

Der **Speierling** (Sorbus domestica), von den Römern in Mitteleuropa eingeführt, erreicht als besonders wärmeliebender Obstbaum im Gefolge des Weinanbaus von Westen her gerade noch das Gebiet um Bamberg. Wenige alte Baumgestalten sind davon in alten Weingärten oder sogar in Wäldern zu finden. In Unterfranken findet sich die Art auch noch häufiger in Waldrändern an alten Weinbergslagen (z. B. an der Trimburg bei Hammelburg). Die kleinen Früchte des Speierlings wurden im späten Herbst im teigigen Zustand roh gegessen oder ihres Gerbstoffgehaltes wegen dem Apfelmost zur Erzielung eines kräftigeren Geschmackes und einer klaren Farbe sowie zur besseren Haltbarkeit wegen beigesetzt.

Bleibt uns noch die **Mispel** (Mespilus germanica) wenigstens aufzuzählen. Als Obst und Obstbaum aus unserem Gesichtsfeld fast verschwunden, findet sie sich selten im Vorland der Frankenalb (TITZE 1983) und sonst nur noch verwildert in alten Weinbergshecken oder als Zierstrauch wohl mehr als Liebhaberei in Gärten angepflanzt (z. B. in Bullenheim/ Frankenberge). Sie ist eine altmodische Art, deren Früchte wie die des Speierlings im Herbst nach dem ersten Forst im teigigen Zustand gegessen wurden, und längst großfrüchtigen Obstarten wie Apfel und Birne mit unterschiedlichsten Sorten weichen mußte.

Der **Pfirsich**baum (Prunus persica), in Hausgärten bisher selten kultiviert, erlebt z. Z. mit weniger anspruchsvollen Züchtungen eine Renaissance in unseren Gärten.

Der **Haselstrauch** (Corylus avellana L.) findet sich nur selten am Gartenzaun oder im Obstgarten hinterm Haus außerhalb vom eigentlichen Hausgarten. Er ist bei uns ja als Wildstrauch an Waldrändern und in Hecken weit verbreitet, so ist man auf seine Kultur kaum angewiesen.

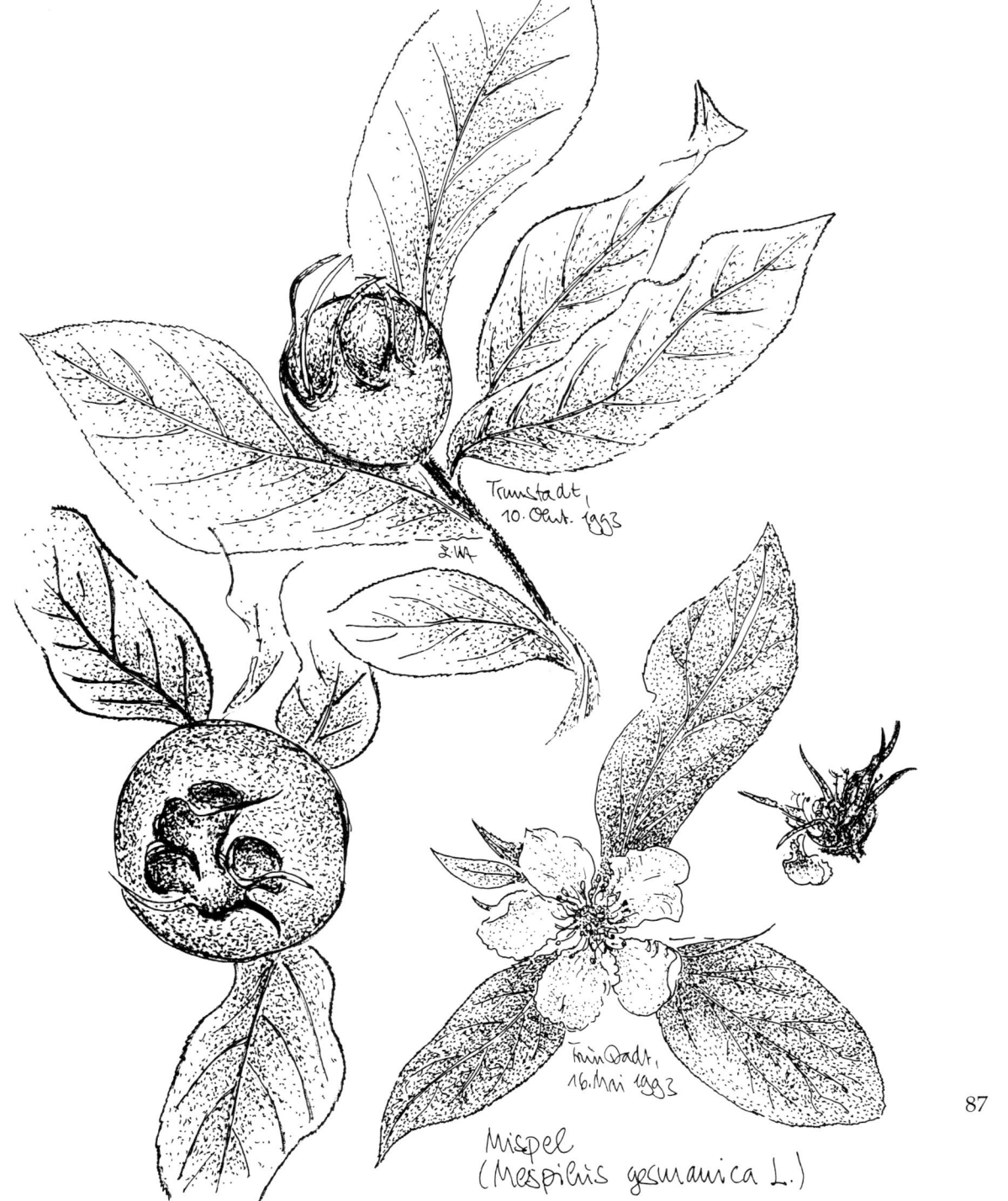

Transtadt,
10. Okt. 1993

Transtadt,
16. Mai 1993

87

Mispel
(Mespilus germanica L.)

Dort wo man Apfel- oder Birnbäume möglichst nahe am Haus haben wollte, was wegen des begrenzten Raumes im Hausgarten meistens nicht möglich war, zog man sie als Form-, d.h. Spalierobstbäume raumsparend wachsend direkt an der Hauswand als schmückenden wie nutzenbringenden Fassadenschmuck zugleich.

89

Roßkastanie	Während in früheren Jahrhunderten nur Bäume mit verwertbaren Früchten in Garten und Dorf kultiviert wurden, fand später mit der **Roßkastanie** (Aesculus hippocastanum) eine schöne Baumart nur ihrer leuchtenden Blütenkerzen im Frühling wegen als Hofbaum Eingang in unsere Höfe und Dörfer. In den Gebirgswäldern der südwestlichen Balkaninsel beheimatet, wurde die Roßkastanie Ende des 16. Jahrhunderts von Konstantinopel nach Wien und damit in Mitteleuropa eingeführt und nachfolgend ausgebreitet.
Rotdorn	Ähnlich ist es mit dem **Rotdorn** (Crataegus monogyna var. rubra), der sich als beliebter Zierbaum nur seiner Blüten wegen, wenn auch selten außerhalb des Gartenzaunes oder entlang der Dorfstraße mitten im Dorf angepflanzt findet.

Beeren-, Zier- und Zaubersträucher

Das Vorhandensein von Sträuchern im bäuerlichen Garten war im besonderen Maße vom dabei zu erzielenden Nutzen abhängig. Deshalb bilden die Beerensträucher den eigentlichen Grundbestand an Sträuchern, und dies wiederum sind nur wenige Arten.

Die **Rote Johannisbeere** (Ribes rubrum) genoß dort lange Zeit die höchste Wertschätzung. Dies *Johannis-* wird durch eine Bemerkung in der Flora des Fürstenthumes Bayreuth von 1798 besonders deut- *beeren* lich, mit „Rothe Krausbeere: Wird als eine der besten Arten unseres wilden Obstes, allgemein im Garten gezogen". Und von der **Schwarzen Johannisbeere** oder **Gichtbeere** heißt es ebendort: „Wird seltener in Gärten gezogen". In der Antike bei den Griechen und Römern waren die Johannis- wie die Stachelbeere noch unbekannt. In Deutschland wurde die „G'hansbeere" mit meist roten, seltener gelblichweißen oder rosaroten, säuerlich schmeckenden Beeren erstmals im 15. Jahrhundert erwähnt und von G. GESNER (1561) als Gartenpflanze genannt. Auch erste Abbildungen der Johannisbeere aus der niederländischen Miniaturenschule sind aus diesem Jahrhundert bekannt. Überhaupt scheint die Kultur der Johannisbeere aus Belgien oder Nordfrankreich zu uns gekommen zu sein. Ihre Beeren waren officinell und L. FUCHS erwähnt schon 1543, daß die Beeren gebräuchlich seien für „hitzigen Magen, Durst und Fieber". Die Beeren der Roten Johannisbeere wurden außerdem als Konfitüre, aber vor allem für Beerenweine sowie für Schaumwein und Likör verwendet.

Die **Schwarze Johannisbeere** oder **Gichtbeere** (Ribes nigrum), ein ebenfalls bis ca. 2 m hoch wachsender Strauch mit unangenehmen Geruch, war im Altertum ebenfalls nicht bekannt. Die eurasiatisch verbreitete Waldpflanze taucht in der Literatur erst in der zweiten Hälfte des 16. Jahrhunderts auf. Im „Hortus Eystettensis" (1613) als Ribes sucru nigro erwähnt, wird in Frankreich ihr Anbau 1750 als Cassis empfohlen. Die Beeren wurden dem Branntwein gegen die Gicht beigesetzt, deshalb der Name Gichtbeere.

Die **Stachelbeere** (Ribes uva-crispa), rot- oder grünfrüchtig, wird erstmals im 13. Jahrhundert *Stachelbeere* erwähnt, gilt ab 1536 als Gartenpflanze, die allerdings erst ab dem 16. Jahrhundert in Deutschland allgemein wurde. Im 1705 in Augsburg erschienenen Buch „Der nutzbaren Gewächse Sinnsprüche und Sinnbilder" von Stanislao R. AXTELMEIER ist über sie nachzulesen:

Beerensträucher *waren die wichtigsten, sicher über einen langen Zeitraum hinweg die einzigen Sträucher im Bauerngarten.*

„Die Lateiner heißen dieses Gewächs Uva Spina (dornichte Trauben), weil die Beeren zwischen den Dörnern wachsen. Auf solche Weise muß oft ein guter Mensch zwischen bösen Leuten wohnen, gleichsam zwischen den Dörnern sitzen, muß aber warten, bis er daraus befreit werde. In solchem Fall heißt es: Geduld überwindet alles. Wer geduldig ist und hält das Unglück aus, ist in allem Unglück stark. Die Geduld bringet Bewährung, aus der Bewährung entstehet Hoffnung und die Hoffnung läßt niemanden zu schanden werden.
Die Stachelbeeren werden gebraucht zur Speise in Kochung der Fische, des Fleisches und Geflügels, wo es den Geschmack erhöhet und ist in hitzigen Krankheiten sehr dienlich."
Sowohl die beiden Johannisbeersträucher wie die Stachelbeere werden überwiegend als Sträucher seltener auch als Hochstämmchen kultiviert.

**Beeren-
sträucher**

92

Selten findet sich die **Himbeere** (Rubus idaeus) und noch seltener die **Brombeere** (Rubus fruticosus) in ländlichen Gärten.

Heute ist das Interesse an Beerensträuchern im Garten, der zeitaufwendigen Ernte wegen, stark gesunken.

Als seltene Nutzsträucher sind zwei weitere Arten, die uns heute nur noch als Ziersträucher zu begegnen scheinen, erwähnenswert. Mit der ehemaligen Bedeutung von **Wacholder** (Juniperus communis) und **Sadebaum** (Juniperus sabina) werden wir uns im Kapitel Zauberpflanzen noch beschäftigen. *Seltene Nutzsträucher*

Dem **Schwarzen Holunder** (Sambucus nigra), wenngleich ein wichtiger und vielfach nutzbarer Strauch, brauchte man im Hausgarten selbst keinen Platz einzuräumen. Er wuchs außerhalb davon hinter Haus oder Scheune, auch am Dorfrand und in Hohlweg oder Hecke reichlich.

Mit sinkender Notwendigkeit zur Selbstversorgung aus dem Hausgarten und andererseits aus Freude an Geruch und Blütenpracht fanden später neben den Rosensträuchern auch andere Blütensträucher Eingang in den Hausgarten. Die ersten und ältesten Ziersträucher sind aller Wahrscheinlichkeit nach die Strauchrosen. So die wohl uralte **Weiße Rose** (Rosa x alba), einem artgewordenen Bastard der **Essig-Rose** (Rosa gallica) mit der **Hunds-Rose** (Rosa canina), der sich auch heute noch hin und wieder in einer Ecke oder am Rande eines Bauerngarten finden läßt. Daneben war es später vorrangig die **Hundertblättrige Rose, Zentifolie** oder **Moos-Rose** (Rosa x centifolia) aus der Essig-Rose als Stammpflanze sowie weiteren heimischen Wildrosen, die seit dem Altertum gezüchtet, bei uns ihren Siegeszug durch deutsche Gärten etwa um 1700 angetreten hat. Sehr seltene Relikte alter Bauerngärten sind die **Gelbe Rose** (Rosa x lutea), die **Portland-Rose** (Rosa x damascena) und die **Bibernell-Rose** (Rosa pimpinellifolia) als besondere Seltenheiten. *Strauch-Rosen*

Außer den alten **Strauchrosen** und dem **Flieder** finden sich nur wenige weitere Blütensträucher mit Tradition im Bauerngarten. Es kommen jedoch fast jährlich neue Sorten hinzu. Arten, denen wir in ländlichen Gärten und in den Dörfern häufiger begegnen sind:

Goldregen (Laburnum anagyroides), **Forsythie** oder Goldglöckchen (Forsythia x intermedia und Forsythia x suspensa), **Kerrie** oder **Goldranunkelstrauch** (Kerria japonica), **Pfeifenstrauch** oder **Falscher Jasmin** (Philadelphus coronarius), **Fingerstrauch** (Potentilla fruticosa), **Schneeballstrauch** (Viburnum opulus var. roseum), und **Weigelie** (Weigela floribunda). Alte Modepflanzen, die nicht mehr ergänzt werden sind: **Mahonie** (Mahonia aquifolia) aus Nordamerika, vor allem im 19. Jahrhundert kultiviert, und der **Weiden-Spierstrauch** (Spiraea salicifolia), der schon seit dem Jahre 1586 in Mitteleuropa kultiviert wird. Dazu kommen als seltenere Arten **Kirschlorbeer** (Prunus laurocerasus), die **Japanische Quitte** (Chaenomeles japonica) und neuerdings auch selten der **Rhododendron.**

*Die **Gelbe Rose** (Rosa x lutea), eine wunderschöne Strauchrose, ist eine der wenigen alten gelben Strauchrosen. Ihre Heimat ist Anatolien, Afghanistan und Persien.*

Wacholder als Zauber-pflanze   Die Zweige des Wacholder benutzte man zum Räuchern, die Beeren als Gewürz für Sauerkraut u.a. Speisen sowie gegen Magenverstimmungen. Dazu hatte er weil immergrün auch noch zauberische Bedeutung. In der Sage wohnen die Zwerge unter ihm (Schweiz) und diese von MARZELL aufgezeichnete Sage ist nur eine von vielen die sich um den Wacholder ranken. Im Mittelalter wurde er zum Räuchern gegen die Pest genutzt und als „Lebensrute" diente er in Oberfranken bis in unsere Tage zum „Pfeffern", d.h. zum Schlagen am Stephanstag (= 2. Weihnachtsfeiertag).

*Nur scheinbar nutzlos steht der **Wacholder** (Juniperus communis) in den Bauerngärten herum. Hier ist es ein besonders altes und stattliches Exemplar am Gartenrand in Oberzaunsbach in der Fränkischen Schweiz.*

„Der soll Wacholder tragen, der sich ein Lieb erwählt hat, bei dem es ihm schlecht ergeht, und der überlegt, ob ihm mit der Zeit etwas Trost davon geschehen mag. Wacholder hat die Art, das erste Jahr blühet er, das zweite Jahr trägt er unreife Früchte, im dritten Jahr zeitigt die Frucht. Man muß sie mit Stäben zerschlagen."
Aus dem „Liederbuch der Hätzlerin",
Augsburg 1471

Zweige vom **Wacholder** an Weihnachten über die Stalltüre gesteckt dienten dazu Hexen und Truden zu vertreiben. Der Wacholderzweig diente auch als „Rührstecken" am Walpurgistag, der half, wenn sich die Milch nicht zu Butter ausrühren ließ. Gegen Blitzschlag diente ein Wacholderreis über die Türe gesteckt (Fürth) und Wacholderspitzen wurden zum „Feuergetränk" gegen Rotlauf und Milzbrand beim Vieh verwendet (Gemünden a. M.). Bei Sonnenaufgang gepflückte Wacholderbeeren halfen gegen Schweineleiden (Erlenbach/Marktheidenfeld). Zur Wiedererlangung von gestohlenem Gut wurde der Wacholder im Aischgrund als Zauberpflanze verwendet, und bei Rothenburg wurden Zweige von „Wächelter" als Abwehrzauber im Stall befestigt.

Der **Sadebaum** oder **Stinkwacholder** (Juniperus sabina), immergrün wie der heimische Wacholder, in unseren Gärten mittlerweile recht selten geworden weil er als Überträger des Birnen-Gitterrostes daraus verbannt wurde, war gleichfalls eine Zauberpflanze.

In Mittelfranken wurden (nach MARZELL) noch bis 1912 Zweige vom **Sade-, Segel-** oder **Sevenbaum** zu einer ungeraden Stunde unter der Stalltüre vergraben, wenn ein Stück Vieh krank war oder blutige Milch gab. In der Fränkischen Schweiz räucherte man in den drei heiligen Nächten (Weihnachten, Neujahr, Dreikönig) die Zimmer mit den Zweigen des Sevenbaumes aus, weil ihr unangenehmer Geruch die Hexen vertrieb. Die Zweige durften jedoch dabei nicht mit der bloßen Hand, sie mußten „unbeschrien" während des Abendläutens (Dinkelsbühl), geholt werden (nach MARZELL 1935).

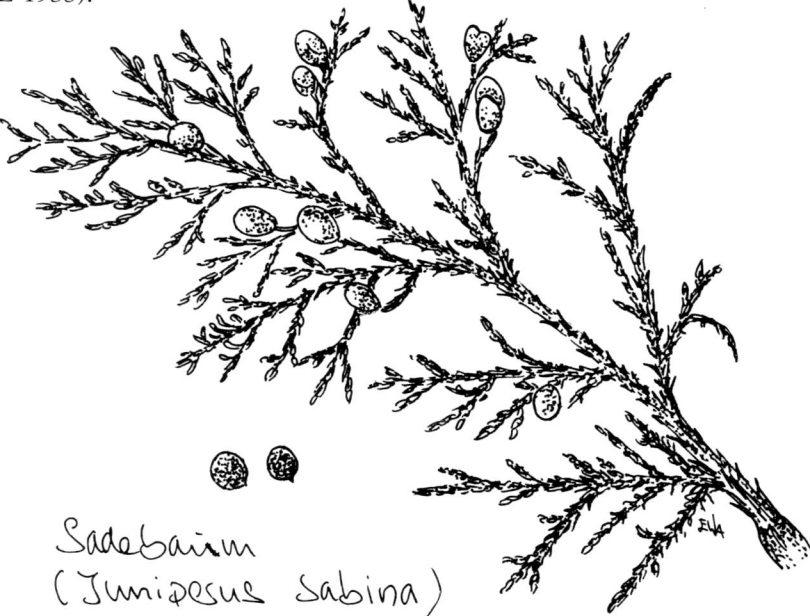

Sadebaum
(Juniperus sabina)

Der Gemüsegarten

Der Gemüsegarten ist nicht isoliert, sondern er ist das Herzstück des fränkischen Bauerngartens, um den sich alles schart und gliedert. Gemüsearten und Salat stehen und wachsen dort von altersher in Beeten getrennt oder gemischt miteinander und am Rande gesellen sich meistens ein paar Kräuter, manchmal auch Blumen dazu.

Sein Inventar hat sich seit weit über einem Jahrtausend nur unwesentlich verändert. **Gurken,** *Gemüse-* **Endivien, Erbsen, Kresse, Kohl, Kohlrabi, Mangold, Möhren, Porree, Sellerie** und **Rettich** *garten* sind seit über 1200 Jahren wichtige Bestandteile unserer Hausgärten. Nur einige Arten sind *wie vor* seit ihrer Aufzählung im „Capitulare" daraus verschwunden, so z.B. der **Pastinak** (Pastinaca *1200 Jahren* sativa). Von der **Zichorie** (Cichorium intybus ssp. sativum) finden sich nur noch sehr selten Pflanzen in unseren Gärten, wobei die kultivierte und von unserer **Wegewarte** abstammende Pflanze in Kriegszeiten zwischendurch, also in Notzeiten, als Kaffeepflanze jeweils wieder eine Neubelebung erfahren hat. In den letzten Jahren öfter mal wieder anzutreffen war die ebenfalls sehr selten gewordene und fast verdrängte **Gartenmelde** (Atriplex hortensis).

Manche der im Capitulare (795) genannten Arten, wie **Melone** und **Artischocke** bedürfen bei uns allein schon aus klimatischen Gründen keiner weiteren Erwähnung, ebenso wohl das **Schwarze Gemüse** (Smyrnium). Statt der dort erwähnten **Koloquinten** (einer Kürbispflanze) findet sich heute der **Kürbis** (Curcurbito pepo) aus der Neuen Welt angebaut.

Manche Artengruppen haben seit damals durch Züchtung zahlreiche Sorten hinzugewonnen, *Änderung* wie der artenreiche **Kohl**. Ähnliches erleben wir z.Zt. mit dem **Kopfsalat** (Lactuca sativa), von *durch* dem in unseren Gärten laufend neue Sorten auftauchen. Der **Kren** oder **Meerrettich** (Armora- *Züchtung* cia rusticana) findet sich kaum mehr im Gemüsegarten, sondern er wird in einigen Gebieten (z.B. Raum Forchheim-Erlangen, Höchstadt/Aisch) feldmäßig angebaut. Häufig findet sich die unauffällige, aus Südrußland stammende Gemüse- und Gewürzpflanze, die für Deutschland seit dem 10. Jahrhundert nachgewiesen ist und im Mittelalter als Arzneipflanze Verwendung fand, am Rande der Dörfer verwildert, häufig als Anzeiger alter Gartenstandorte. Er wurde lange Zeit durch sogenannte „Kreenweiber" in Tracht mit dem Huckelkorb in den anderen Gegenden verhausiert. Dieses aufwendige Verfahren ist heute auf die fahrenden Gemüse- und Obsthändler, die auf Märkten und in Dörfern verkaufen, übergegangen.

Der kleine ländliche Garten auf dem Bild mit Zwiebeln, Lauch und Blaukraut enthält als wesentliche Hauptsache Gemüse, und mit der Petersilie dazu ein Würzkraut. Im Vordergrund ist entlang des Zaunes ein Dahlienbeet erkennbar. Vor dem Zaun im Hintergrund befindet sich mit der Großen Margerite und dem Staudenphlox ein Staudenbeet. Ganz links ist eine große Staude des **Rainfarn** (Tanacetum vulgare) erkennbar. Die Art ist heute noch wichtiger Bestandteil des an Mariae Himmelfahrt geweihten „Wurzbüschels" und wurde früher (nach MARZELL) „beschrienen" Kindern unter das Kopfkissen gelegt (Karlstadt a. M.). In Gärten ist der Rainfarn sehr selten. Interessant ist seine krausblättrige Gartenform.

Ein beispielhafter ländlicher Hausgarten in Heroldsberg (auf der Albhochfläche der Nördlichen Frankenalb).

Da sieht man das Nebeneinander als Prinzip, mit den **Erdbeeren** im Vordergrund; **Kopfsalat, Kohlrabi, Gurken** und **Blaukraut** vor den **Stangenbohnen**. Neben dem Frühbeet das leuchtendblaue Wasserfaß in der Mitte des Gartens als Zeichen der Improvisation, dahinter ein Kugel-**Buchs**busch, **Goldfelberich, Geißblatt** und **Alant** sind zu erkennen. Die Fenster des Hauses mit Blumenkästen geschmückt, neben dem Haus als Hofbaum die heimische **Sommerlinde**; alles scheinbar ohne System – und doch sinnvoll und schön beieinander.

Saft- und kraftstrotzendes gesundes **Blaukraut**, als eine der vielen Möglichkeiten der Bauerngärten, wo Nutzen und Schönheit zusammenschwingt. Nördlich Frankens **Rotkraut** genannt, stellt es zugleich eine der vielen sprachlichen Eigenheiten Frankens dar.

Eine eigenartige Pflanzengestalt im Gemüsegarten ist der **Kohlrabi**, ebenfalls eine der vielen und sehr unterschiedlichen Gemüsearten aus der arten- und formenreichen Kohl-Gruppe.

Besonders häufig als Stangenbohne angebaut wird die
Feuerbohne (Phaseolus coccineus), die mit ihren
leuchtendroten Blüten auch eine Schmuckpflanze des
Gemüsegartens ist und so zwischen diesem und und dem
Blumengarten vermittelt. Aus der Neuen Welt stammend,
in Mexiko und Mittelamerika beheimatet und bei uns seit
1635 als häufige Zier- und Gemüsepflanze kultiviert, nahm
sie den Platz der **Puff-** oder **Saubohne** (Vicia faba) ein.
Die **Buschbohne** (Phaseolus vulgaris ssp. nanus) ist
ebenfalls eine alte Kulturpflanze südamerikanischer
Hochkulturen, die seit der Entdeckung Amerikas in vielen
Sorten in unseren Gärten als Hülsen- und Samengemüse
gebaut wird. Diese Art gibt es auch als **Stangenbohne**
(Phaseolus vulgaris).

Der **Kren** oder **Meerrettich** (Armoracia rusticana) findet
sich kaum mehr im Gemüsegarten, sondern er wird in
einigen Gebieten (z. B. Raum Forchheim-Erlangen)
feldmäßig angebaut. Häufig findet sich die unauffällige, aus
Südrußland stammende Gemüse- und Gewürzpflanze am
Rande der Dörfer verwildert, häufig als Anzeiger alter
Gartengrundstücke.

1754 ist in Hamburg eine deutsche Übersetzung des von HERVEY 1746 herausgegebenen Buches „Meditations and Contemplations" unter dem Titel „Betrachtungen über die Herrlichkeit der Schöpfung" in der 3. Auflage erschienen, dort findet der Gemüsegarten folgende Beschreibung:

Einfachheit und Zufriedenheit

Ein Gemüsegarten liegt mir so nahe. Mir deucht, er hat das Ansehen einer einfältigen und sparsamen Republik. Was der Pracht der Höfe oder dem Kennzeichen einer königlichen Würde ähnlich sieht, ist gänzlich aus dieser demütigen Gesellschaft verbannt. Keine einzige von den Pflanzen des Küchengartens trägt einen gezwungenen Putz, sie sind aber alle vollkommen wohlanständig gekleidet. Hier sind die beiden vortrefflichsten Eigenschaften auf eine vorzügliche Art vereinigt: äußerste Einfachheit und vollkommenste Zierlichkeit. Warum ziert die Petersilie mit krausen Locken das Gartenbeet? Warum strecket der Sellerie seine weißen Arme durch die fruchtbare Erde hervor? Um unsere Suppen schmackhaft zu machen? Der Spargel läßt seinen länglichen Stamm hervorschießen, und die Artischocke bildet ihr geschwollenes Haupt aus, um dem Menschen die Gemüse der Jahreszeit anzubieten. Die zarten Stengel der Gurke kriechen in die Sonne und ob sie gleich von ihren heißen Strahlen gedörrt werden, so sondern sie doch für ihren Herrn die kühlsten Säfte des Erdbodens ab und heben dieselben zu seinem Gebrauch auf. Die Bohnen stehen fest wie die Glieder einer in Schlachtordnung aufgestellten Armee. Die Erbsen werden von den neben ihnen gesetzten Stecken als Kompanien der Invaliden unterstützt, und beide füllen indes ihre Hülsen mit der Fettigkeit der Erde, um dieselben auf dem Tisch ihres Besitzers auszubreiten.

Über die Bohne ist in dem Buch „Der nutzbaren Gewächse Sinnsprüche und Sinnbilder" von Stanislao Axtelmeier, Augsburg 1705, zu lesen:

Nicht ohne Hülf

Den Bohnen muß man Pfähle geben, sonst verderben sie. Ist ein hübsches Symbolum auf die jungen Kinder, die überall geführt und gestützt werden müssen, sowohl was ihre Nahrung als was ihre Zucht betrifft, denn Schwachheit und Torheit sind die Gefährten der Kindheit. Dero wegen muß man die Kinder fleißig anhalten mit Lehren, Vermahnungen, sittlichen Strafen, damit die Torheit weiche und die Weisheit wachse. Sonst bleibt das Kind in seinem Unverstand stecken und kommt nicht empor wie die Bohnen, die auf dem Boden liegen bleiben, sofern man sie nicht steuret.

Beim **Spargel** (Asparagus officinalis), dem Wurzelgemüse mit uralter Tradition in Mitteleuropa und seinen Gärten, ist es wie beim **Kren**; nur noch selten in Gärten, wird er heute in den dafür geeigneten Gebieten z. B. im Regnitz-Maingebiet um Bamberg und Forchheim draußen in der Feldflur feldmäßig angebaut. Der angestiegene Bedarf für die **Gurke** (Cucumis sativus), vor allem für die Konservenindustrie, hat auch die einstige Gartenfrucht „Kümmerling" zur Feldfrucht werden lassen.

Ähnlich ist es ja der **Kartoffel** (Solanum tuberosum) schon in früheren Jahrhunderten ergangen. Auch ihr begegnen wir nur noch selten in Gärten.

Aus den heimischen Feldfluren stammt die **Rapunzel** oder der **Feldsalat** (Valerianella locusta), die auch schon von altersher in Gärten als Blattsalat gebaut wird.

Der **Mohn** oder **Schlafmohn** (Papaver somniferum) dagegen, seit der Jungsteinzeit nachgewiesen, wurde bis zum Zweiten Weltkrieg und sogar noch lange danach häufig in Gärten angebaut. Heute ist sein Anbau wegen der möglichen Opiumgewinnung verboten. Hin und wieder taucht er trotzdem, zur Gewinnung der Samen für Backwerk (Mohnkuchen) oder der Zierde seiner Blüten wegen, in ländlichen Gärten in kleinen Beständen wieder auf.

Der **Spinat** (Spinacia oleracea) ist erst im 15. Jahrhundert als Blattgemüse zum Mangold hinzugekommen. Der **Rhabarber** (Rheum undulatum), eine Pflanze kontinentaler Herkunft aus Sibirien, wird seit Anfang des 17. Jahrhunderts bei uns kultiviert. Die **Schwarzwurzel** (Scorzonera hispanica) als „Stazionäre" der Bamberger seit dem 18. Jahrhundert und die **Tomate** (Solanum lycopersicum) obwohl schon seit dem 16. Jahrhundert als „Liebesapfel" bekannt, gar erst seit dem 19. Jahrhundert. Ganz neu ist die **Zucchini** (Cucurbito pepo convar. giromontiina) mit ihren gurkenähnlichen großen Früchten, von der eine einzige Pflanze oft für den Bedarf einer Familie einen Sommer lang auszureichen vermag. Als neue Art unserer ländlichen Gärten ist erst in den letzten Jahren die wärmeliebende **Paprika** (Capsicum annuum) in die Dörfer gelangt. Die langen warmen Sommer der letzten Jahre ließen dort sogar Früchte von der anspruchsvollen Pflanze ernten.

Einige durch ihre Böden und ihr Klima besonders begünstigte Gebiete gibt es in Franken, wo Gemüse und Salat nicht mehr nur im Hausgarten für den eigenen Bedarf angebaut werden, sondern wo die Anbauflächen im Weichbild der Stadt oder vor ihren Toren zum wirklichen, wenngleich auch feldmäßigen „Bauerngarten" wurden, wo der Bauer wirklich selbst den „Garten" bestellt. Das ist von den kleinen Gärten für den Gemüseanbau mitten in der Feldflur und den außerhalb des Dorfes liegenden eingezäunten „Krautsgärten" einmal abgesehen, vor allem das „Knoblauchsland" vor den Toren der Stadt Nürnberg und der Raum Bamberg-Hallstadt mit seinen Acker- und Gärtnerbürgern. Ähnlichen Gemüse-Feldanbau gibt es auch im Gebiet Schweinfurt und auch noch an weiteren Orten in Franken.

Diese jahrhundertealte Tradition der „Gärtner" in Bamberg und im Knoblauchsland bei Nürnberg ist mit dem allgemeinen Wandel in der Landwirtschaft sowie einem europaweiten Handel, mit ebensolcher Konkurrenz durch mangelnde Rendite bei verfallenden Preisen, aufs Schlimmste gefährdet. Gärtnerhaus und Gärtnerflur in Bamberg wurden deshalb mittlerweile sogar zum gefährdeten „Welt-Kulturerbe" erklärt.

*Weltkultur-
erbe
Bamberg*

Aus Bamberg berichtete für das 16. Jahrhundert der Chronist J. BOEMUS: „Keine Landschaft Deutschlands erzeugt mehr und größere Zwiebeln, keine größeren Rüben und Kohlköpfe. Füg hierzu die Süßwurzel, die im Bamberger Land in solcher Menge ausgegraben wird, daß man hochgetürmte Wagen damit beladen sieht."

*Süßholz-
anbau*

Die Kultur vom **Süßholz** (Glycyrrhiza glabra) wurde angeblich, was auch sehr wahrscheinlich ist, durch die Benediktiner dort eingeführt. Seine gelben Wurzelstücke wurden von Kindern als seltene Nascherei gekaut, vielleicht der Angebeteten fein geschabt angeboten („Süßholz raspeln"), zur Herstellung von Lakritz („Bärndreck" in Hof) verwendet. Sie waren Bestandteil von Teemischungen (Brusttee) und wurden zum Verbessern des Geschmacks für Arzneien sowie als schleimlösendes und als Wundmittel verwendet.

*Süßholz
in
Frankreich*

In Frankreich wurde sogar ein Getränk, „Coco" genannt, daraus hergestellt. Während der Süßholz-Anbau bei uns längst erloschen ist, und man Pflanze und Wurzel nur noch im Garten des Gärtner- und Häcker-Museums in Bamberg sehen kann, fand ich Süßholz zum Verkauf angeboten noch im Sommer 1993 in einem Tabakgeschäft in Castellane/Haute Provence und 1994 auf einem Markt in Annecy/Haute Savoien in Frankreich. Nach TITZE (briefl. 1995) wurde das Süßholz früher beim Walberlafest verkauft.

*Süßholz-
handel
zwischen
Bamberg
und Hof*

Aus dem „Hausbuch des Apothekers Michael WALBURGER" in Hof/Saale erfahren wir über Handelsbeziehungen mit Süßholz zwischen den Städten Hof und Bamberg im 17. Jahrhundert:

Sonntag, den 22. Octobris Anno 1654: Süeßholtz und faenum graecum kauff
Von Bamberg 25 1b schön frisch süesholtz empfangen, das 1b pro 3 g 2d, thut 3 Rth 7a 2d bezahlt.

Sonnabend, den 22. Octobris Anno 1659: Süesholtz kaufft
Von Bamberg frisch süeßholtz überkommen, 15 p à2 g thut 1¹/₄ Rth, wahr sehr schön und gröblicht.

Freitag, den 26. Octobris Anno 1660: Süesholtz kaufft
Frisch süesholtz von Bamberg überkommen, wahr deßen 16¹/₂ 1b und vor ideß 1b bezahlt 2 g, thut 1 Rth und 9 g.

Montag, den 20. Octobris Anno 1662: Süesholtz kaufft
Item von Bamberg frisch süesholtz überkommen 13¹/₂ 1b á2g und vor solches bezahlt 1T Rth 3 g.

Sonntag, den 25. Septembris Anno 1664: Süesholtz kaufft
Haben Meine leuth 12 1b schön und frisch süesholtz kaufft, ideß 1b gro 2 g, thut ein Rth bezahlt.

Süßholz (Glycyrrhiza glabra) im Garten des Gärtner-
und Häcker-Museums Bamberg.

Süßholz-Wurzelstangen aus Frankreich.

Christus als Gärtner mit Maria Magdalena,
Zunftbild der Bamberger Gärtner
(im Gärtner- und Häcker-Museum Bamberg).

Von Straßenzügen und Häuserzeilen eingeschlossene
Gärtnerflur in Bamberg *– gefährdetes „Welt-Kulturerbe".*

Der Kräutergarten

In den Hausgärten Frankens standen die Kräuter allenfalls in einem eigenen Beet beieinander, in dem meisten Fällen jedoch einzeln in Mischkultur mit Gemüse und Salat im Gemüsegarten. So ist es heute noch mit dem **Liebstöckel** (Levisticum officinale), der als mächtige Staude irgendwo am Beetrand, meistens in der Nähe der Gartentüre steht.

Den Kräutergarten mag es in Klostergärten gegeben haben, und es gibt ihn reichlich in Büchern über Bauerngärten... Dabei hatten Kräuter in vergangenen Zeiten eine sehr viel größere Bedeutung als heute. Heil-, Tee- und Küchenkräuter mußten jeder Zeit zur Verfügung stehen. Mit dem zunehmenden Fortschritt der Arzneikunde und der Medizin wurden die Kräuter im Bauerngarten verdrängt und z.B. auch in ihrer Funktion als Zauberpflanzen gegenstandslos. Überflüssig. Nur wenige Arten von Küchen- und Gewürzkräutern haben sich als „eiserner Bestand" bis in unsere Tage erhalten. Da sind vor allem die **Petersilie** (Petroselinum crispum), „Peterle" oder „Petterla", und der **Schnittlauch** (Allium schoenoprasum). Die einjährigen Arten wie **Basilikum** oder **Basilienkraut** (Ocimum basilicum) und **Majoran** (Majorana hortensis), **Bohnenkraut** (Satureja hortensis), **Borretsch** (Borago officinalis) und **Dill** (Anethum graveolens) säen sich selbst aus. Dazu finden sich als mehrjährige oder ausdauernde Arten vereinzelt bis in unsere Tage **Estragon** (Artemisia drancunculus), **Pfefferminze** (Mentha x piperita, M. x gentilis, u.a.), **Salbei** (Salvia officinalis) und **Thymian** (Thymus vulgaris). Auch die **Raute** oder **Weinraute** (Ruta graveolens) hat sich in den wärmeren Gebieten Frankens beharrlich gehalten.

Dazu kommen als alte Heilpflanzen der **Eibisch** (Althaea officinalis) und die **Kreuz-Wolfsmilch** (Euphorbia lathyris), das frühere „Springkraut", das sich zur Maulwurfsabwehr kultiviert immer wieder selbst aussamt.

Der **Alant** (Inula helenium) hat sich gewissermaßen als Brauchtumspflanze bis in unsere Tage erhalten. Der **Ysop** (Hyssopus officinalis), früher als Heilpflanze in Gärten kultiviert und daraus fast verschwunden, kehrt nun als wohlriechende Zierpflanze dorthin zurück. Weitere Heil- und Küchenkräuter wie der **Kümmel** (Carum carvi), der stellenweise reichlich in Wiesen vorkommt, und der **Beifuß** (Artemisia vulgaris), häufig ruderal an Wegrändern und Flußufern und -böschungen wachsend, hatten in Franken wohl nie einen Platz im Garten nötig. Das **Mutterkraut** (Tanacetum parthenium) und der **Wermut** (Artemisia absinthium), heute überhaupt

Der **Echte Alant** (*Inula helenium*) ist eine stattliche Staude unserer Gärten, vor allem in Gegenden und Dörfern mit katholischer Bevölkerung. Dort hat sich die alte Heilpflanze mediterraner Herkunft vor allem als wichtiger Bestandteil des an Mariae Himmelfahrt geweihten Wurz- und Kräuterbüschels erhalten. Neuerdings findet die Art als schönblühende Staude Interesse und Verbreitung.

Die **Mariendistel** (*Silybum marianum*) ist in den Mittelmeerländern sowie in Vorderasien beheimatet. Seit dem Mittelalter wurde die schon in der Antike als Heilpflanze geschätzte auffällige Pflanzenart in Kloster- und Bauerngärten kultiviert. Heute ist ihr nur noch als seltener Schmuckpflanze oder verwildert zu begegnen, so wie auf dem Bild einer Pflanze auf einem Komposthaufen unterhalb der Vexierkapelle Reifenberg im Landkreis Forchheim. Hinter der dekorativen **Mariendistel** ist mit den **Stangenbohnen** ein kleiner Feldgarten mitten in der Flußaue der Wiesent zu erkennen.

108

Auch der **Wermut** *(Artemisia absinthium) ist eine alte Arznei- und Gewürzpflanze, der man allerdings heute leichter verwildert als in unseren Gärten begegnen kann. Die Pflanze wurde vor allem im vorigen Jahrhundert zur Herstellung des berüchtigten Absinth und heute noch für Wermutwein und Aperitiv sowie als Mittel gegen Motten und Ungeziefer verwendet. Die zeitweise häufiggewesene Gartenpflanze wird in Mitteleuropa mindestens seit dem Mittelalter als Arzneipflanze genutzt.*

Der **Eibisch** *(Althaea officinalis) ist, wie uns sein Name bereits sagt, eine Heilpflanze, der man mit etwas Glück noch hin und wieder in alten Bauerngärten begegnen kann. Seine hell-lilafarbenen zarten Blüten stehen in den Blattachseln gebüschelt beieinander. Die Blätter sind wie die ganze Pflanze graufilzig. Die vor allem an den Küsten und in küstennahen Gebieten Europas und Asiens wildwachsende Pflanze war bereits in der Antike als Heilpflanze bekannt. Für Mitteleuropa fand sie bereits im Capitulare um 795 Erwähnung und im 12. Jahrhundert durch Hildegard von Bingen. Der Eibisch findet auch heute noch Verwendung als Hustenmittel (Tee, Hustenbonbons), ist in katholischen Gegenden Bestandteil des Kräuter- und Wurzbüschels und wird als Arzneipflanze sogar feldmäßig angebaut.*

nicht mehr verwendet, sind aus dem Garten hinaus gewandert und finden sich heute im Dorf oder an Ruderalplätzen verwildert.

Riech-
kräuter

Die Riechkräuter oder „Schmeckerblätter" **Marienblatt** oder **Balsamkraut** (Tanacetum balsamita) und **Eberraute** (Artemisia abrotanum) hatten jahrzehntelang nur noch Museums- oder Liebhaberwert. Neuerdings nimmt das Interesse an solchen Arten wieder zu und man kann ihnen neu angepflanzt wieder in ländlichen Gärten begegnen.

Im übrigen ist es so, daß eine eindeutige Zuordnung der im Bauerngarten vorkommenden Arten in eine der vorgenannten Pflanzengruppen gar nicht so leicht möglich ist, hat sich doch bei vielen der dort wachsenden Arten im Laufe der Jahrhunderte der Verwendungszweck geändert. So waren viele der heute nur noch als Zierpflanzen kultivierten Arten ehemals als Heilpflanzen in unsere Gärten gelangt. Sogar mit unseren ältesten Bauerngartenblumen ist es so, denn **Lilie, Rose** und **Schwertlilie** waren zu Zeiten des Capitulare Heilpflanzen. Nicht anders ist es mit **Märzveilchen, Maiglöckchen** und **Pfingstrose**.

Ehemalige
Heilkräuter

Zauber-
kräuter

Eine ganz besondere Gruppe stellten im bäuerlichen Garten die Zauberpflanzen dar, von denen wir mit dem **Wacholder** und dem **Sadebaum** bereits zwei Arten kennengelernt haben. Die **Hauswurz** (Sempervivum tectorum), letztgenannte Art des Capitulare mit: „und der Gärtner soll auf seinem Hause haben Hauswurz", in einigen Gebieten Frankens noch immer auf Säulen von Toreinfahrten und Dächern zu finden, sollte vor Blitzschlag schützen. Der **Dill** war eine Pflanze, die mächtige Kräfte gegen das Tun der Hexen hatte und um das „Peterla", die **Petersilie**, rankte sich viel akademischer Volksglaube seit Theophrast im dritten Jahrhundert v. Chr. berichtet hatte, man müsse bei der Aussaat der Petersilie „fluchen und lästern".

Im „Liederbuch der Hätzlerin", Augsburg1471, heißt es vom **Borretsch**:

Borretsch soll der tragen, dessen Herz frei von allem Argen ist, und er will zu ganzer Gerechtigkeit stehen. Das Kraut ist rauh und nicht gut abzubrechen. Desto freier steht die Blüte und erfreuet auch die kranken Herzen.

Und bei Stanislao Reinhardo Axtelmeier in „Der nutzbaren Gewächse Sinnsprüche und Sinnbilder", Augsburg 1705:

Freude und Mut. Dieses Kraut ist ein recht Herz-Kraut, macht Freude und guten Mut und vertreibt die Traurigkeit. Ist also die Wirkung des Borretsch mit der Treue, Aufrichtigkeit und Liebe eines Ehegatten zu vergleichen, der mit dem geliebten Teil alles Leid mit gutem Mut hilft überwinden, demselben die Schwermütigkeit aus dem Sinn redet, mit gutem Trost und Hoffnung das traurige Gemüt aufmuntert.

Der **Borretsch** (Borago officinalis) ist ein
Rauhblattgewächs – und das ist nicht zu übersehen. Eine
einjährige Art, aus dem Mittelmeergebiet stammend, ist er
bereits seit dem 16. Jahrhundert weit verbreitet. Er ist eine
Art des Kräutergariens, die sich immer wieder selbst
aussamt, und dann oft im Gemüsebeet oder gleich im
Salatbeet steht, wo er ja hingehört, denn seine Blätter
werden als Zusatz für Kräutersalate oder zum Gurken-
einlegen verwendet. Mit seinen leuchtendblauen Blüten ist
er eine besonders attraktive Art des Kräutergartens.

Das **Mutterkraut** oder die **Römische Kamille**
(Tanacetum parthenium), ostmediterraner Herkunft, ist
ebenfalls eine alte Heilpflanze, die heute nur noch als meist
gefülltblühende Zierpflanze oder außerhalb der Gärten in
den Dörfern verwildert vorkommt. Die Pflanze war schon
in der Antike Heilpflanze gegen Frauenleiden, wurde von
Hildegard von Bingen im 12. Jahrhundert als Fiebermittel
erwähnt, und galt später zeitweise als Abortivum.

In Franken, vor allem in den Naturräumen Haßberge, nördlich des Maines zwischen Bamberg und Haßfurt, und im südlich des Maines gelegenen Steigerwald, findet sich noch recht häufig die **Echte Hauswurz** (Sempervivum tectorum) auf Gartensäulen und kleinen Dächern. Das Capitulare empfahl bereits „und der Gärtner soll auf seinem Hause Hauslauch haben".

Notwendigkeit der Bauerngärten – und Not

Apotheke für Mensch und Vieh, Erzeugung vitaminreicher Nahrung mit Gemüse und Salat, Beerenobst für Kompott und Wein, und insgesamt die notwendige Selbstversorgung der Höfe, das waren lange Zeit die Notwendigkeiten für unsere überkommenen Hausgärten, und in Not, z. B. Kriegszeiten, war die Notwendigkeit dafür umso größer. *Selbstversorgung der Höfe*

Der bäuerliche Nutzgarten hatte in vergangenen Jahrhunderten auch noch aus einem weiteren Grund eine sehr viel höhere Bedeutung als in unserer Zeit. Was dort an Feld- und Gartenfrüchten in den Gartenbeeten angebaut wurde, war nämlich im Gegensatz zu den draußen in der Feldflur angebauten Feldfrüchten nicht zehntpflichtig. So wurde bei der Einführung des Kartoffelanbaus im Raum Pilgramsreuth im Landkreis Hof von den angebauten neuen Feldfrüchten dem dortigen Pfarrer kein Zehnt gegeben. Und über den durch den Pfarrer Keppel deshalb gegen die Pilgramsreuther Bauern geführten Prozeß ist bei WIRSING (1994) nachzulesen, daß jeder Bauer im Dorf Pilgramsreuth 1694 noch 20 Gartenbeete mit Kartoffeln bestellte, weil dafür keine Zehntpflicht bestand. *Feldfrüchte aus Gärten waren nicht zehntpflichtig*

Zum anderen wurden überhaupt viele Feldfrüchte erst einmal im Nutzgarten angebaut und „ausprobiert", wie es von der Kartoffel eben bekannt ist. Noch in unserem Jahrhundert wurden in Not-, d.h. vor allem Kriegszeiten, in Gärten auch reichlich Feldfrüchte angebaut, wie es mit der Kartoffel bis in unsere Tage ja noch hin und wieder geschieht.

Wegen des Blumenreichtums der ländlichen Gärten in unserer Zeit – einer Zeit des Wohlstands weithin, liegt uns der Gedanke an Notzeiten und Not entsprechend fern. Aufzeichnungen über ländliche Hausgärten aus früheren Jahrhunderten gibt es spärlich, viel zu selbstverständlich war ihr Dasein, anders als bei Adels- und Klostergärten. Als Quelle ist da auch eine Flora, d.h. die Auflistung und Beschreibung der in einem bestimmten Gebiet vorkommenden Pflanzen, eine wichtige Informationsquelle. So z.B. die „Flora des Fürstenthumes Bayreuth" von ELLRODT-KOELLE (1798). Ausgerechnet die Beschäftigung mit dieser Flora drängt die Gedanken an Not und Notwendigkeit der Gärten auf, wenn wir darin die folgenden Angaben über die Verwendung von Wildpflanzen lesen. Da konnten die Gärten noch nicht so blumenbunt gewesen sein: *Fehlende Literatur über Bauerngärten*

Wildpflanzen
zur
Ernährung
und Versuche
ihrer
Zähmung
Von der **Nachtkerze** (Oenothera biennis) „die abgebrühten Wurzeln dienen zu Salat, auch wird die Pflanze ihrer Blumen wegen in Gärten gezogen". Eine Reihe von Wildpflanzen ist zum menschlichen Verzehr genannt, so die Wurzeln der **Acker-Glockenblume**, die **Ährige Teufelskralle**, der **Wiesen-Bocksbart**, **Roter Gänsefuß** und sogar der **Rüben-Kälberkopf**, die **Rote Taubnessel**, der **Gemeine Rainkohl**, die **Eselsdistel**, die **Kleine** und **Große Brennessel**. Kennt man diese Pflanzen, so weiß man wie wenig ergiebig ihre Wurzel, ihr Blütenkopf oder ihr Kraut für menschlichen Hunger sind. Die Wurzelsprosse vom **Guten Heinrich**, von **Wald-Weidenröschen** und **Wilden Hopfen** wurden damals „als Spargel genützt". Die **Felsen-Fetthenne** oder **Tripmadam** (Sedum reflexum), die heute kaum mehr in Gärten sondern nur noch an Böschungen und ähnlichen Orten in Dörfern oder außerhalb davon anzutreffen ist, war vor ca. 200 Jahren noch Gartenpflanze und wurde „mit Salat gemischt gegessen" und „gehört (e) zu den gebräulichsten deutschen Gewürzen". Der **Pastinak** (Pastinaca sativa), häufiges Wildkraut heute, vor allem entlang unserer Straßen, und der **Schwarze Senf** (Brassica nigra), heute nur noch Wildpflanze an Flußufern, „gehört(e) zu den vorzüglichsten deutschen Gewürzen". Der Saft des **Märzveilchens** war „in den Apotheken, für Zuckerbäckereyen und in der Chemie brauchbar".

E. und E.J. SCHÖNHÖFER (1983) berichten aus Muggendorf im Wiesenttal aus der Fränkischen Schweiz zum gleichen Thema:

„Aus der Not wußten die Muggendorferinnen eine Tugend zu machen. Vor allem im Frühjahr füllten sie den Topf öfter mit in der heimischen Flur gesammelten Kräutern und bereiteten daraus den schmackhaften Köhl zu. Meist wurden dafür folgende Kräuter gesammelt: Große Brennessel (Urtica diocia); Ackerdistel (Cirsium arvense); Acker-Vergißmeinnicht (Myosotis arvensis); Wegerich (Plantago major und lanceolata); Rapunzel oder Feldsalat (Valerianella locusta); Milchschöckla oder Rainkohl (Lapsana communis); Ochsenzunge oder Krauser Ampfer (Rumex crispus); Kernkraut oder Taubenkropf-Leimkraut (Silene vulgaris); Otterblätter oder Schlangenknöterich (Polygonum bistorta); Wald-Schlüsselblume (Primula elatior); Gaaßba oder Wald-Labkraut (Galium sylvaticum); Mausohren oder Kleines Habichtskraut (Hieracium pilosella); Große Fetthenne (Sedum maximum).

Die Wildkräuter wurden gekocht und mit Ei legiert. Diese vitaminreiche Frühjahrskost – entspricht sie nicht der Nouvelle Cuisine? – brachte den Muggendorfern ihren Spitznamen ‚Köhlscheißer' ein."

Diese Angaben ließen sich vermehren, sie sollten uns nur zeigen wie stark der Wandel in den ländlichen Gärten schon immer war und wie wenig immer alles so bleiben muß, wie es eine Zeitlang war.

Die Not der Märchen ist noch nicht so fern, wie es uns immer so leicht scheinen mag.

114

*Das Beispiel der Hl. Elisabeth mit dem Rosenwunder
(in Pottenstein) läßt es uns noch erahnen
– Brot oder Rosen …*

Pflanzen am Haus, ob Spalierobst, Rebstock oder Kletterpflanzen, und dazu noch Blumenkästen auf der Fensterbank oder wie hier am Treppengeländer machen ein Haus erst richtig liebens- und lebenswert (Rattelsdorf im Landkreis Bamberg).

116

Kletterpflanzen

Da war wohl der **Hopfen** (Humulus lupulus) als Nutzpflanze die erste Kletterpflanze, die am Zaun geduldet und sogar gefördert wurde. Als romantisierte Duftpflanze gab es das **Jelänger-jelieber** ab und zu an einer Gartenpforte oder am Zaun, den **Weinstock** (Vitis vinifera) als nutzenbringende beliebte Pflanze am Haus. Heute gibt es dazu eine Reihe von schönblühenden rankenden Prachtpflanzen wie die **Glycinie** (Wistaria sinensis) aus China und die **Clematis** in vielen großblütigen farbenprächtigen Hybriden. Die **Jungfernrebe** (Parthenocissus inserta) aus Nordamerika ein wenig altmodisch wirkend, den **Kletterwein** (Parthenocissus tricuspidata) aus China und Japan, und neben dem wohl auch kaum mehr gepflanzten **Bocksdorn** (Lycium barbarum) aus dem östlichen Mittelmeergebiet neuerdings den wuchskräftigen weißblühenden **Schlingknöterich** (Polygonum auberti). Der **Efeu** (Hedera helix) schattiger Gartenecken und Mauern ist eine der wenigen alten heimischen Kletterpflanzen.

Rankende Pracht-pflanzen

*Solch ein Anblick ist selten geworden: Das Wirtshaus als Mittelpunkt (häufig neben der Kirche) des Dorfes („Zur Dorfmitte") und eine mit dem **Wilden Wein** berankte einladende Hausfassade.*

117

Der wuchskräftige **Schlingknöterich** *(Polygonum auberti)*
vermag sehr rasch Wände und sogar ganze Gebäude zu
verkleiden.

Ebenfalls aus Nordamerika stammt der **Wilde Wein** oder
die **Jungfernrebe** *(Parthenocissus inserta). Seine hohe Zeit*
ist der Herbst, wo sich seine schönen handförmigen Blätter
gelb, orange, scharlach- und dunkelrot färben.

Die **Waldrebe** (Clematis Hybride) gibt es in vielen Arten und Hybriden, groß- und kleinblütig in vielen Formen und Farben und für jeden Geschmack.

Ganz exotisch wirkt die schöne **Glycinie** (Wistaria shinensis) aus China, der wir an dörflichen Anwesen in klimatisch begünstigten Gebieten hin und wieder begegnen können.

Der einzige „Bauerngarten"

Bei all den vielen bäuerlichen und dörflichen Gärten, die der Verfasser besuchte und kennenlernte, hat er immer nur „Bäuerinnengärten" gefunden. Mit einer Ausnahme: Das war 1993 im Raum Scheßlitz östlich von Bamberg vor dem Albanstieg zur Nördlichen Frankenalb. Dabei handelte es sich, voll Überraschung entdeckt, um den Dahliengarten eines Bauern, des Herrn Heinrich Keck in Kremmelsdorf. Ihm war zwei Jahre vorher seine Frau verstorben, und von da an suchte er seine Freude bei seinem Blumengarten, den er alljährlich noch um einige Dahlienknollen ergänzt.

Pflanzensymbolik

Pflanzen besaßen in früheren Jahrhunderten bis in junge Vergangenheit über ihren vordergründigen Nutzen hinaus häufig noch eine weitere Bedeutung. Das konnte hoffentlich im Vorangegangenen am einen oder anderen Beispiel aufgezeigt werden. Häufig maß man Pflanzen auch einen Symbolgehalt zu. Das soll nachfolgend aufgezeigt werden, wie sehr der Mensch vergangener Jahrhunderte die Pflanzen und die Blumen des Gartens und überhaupt seiner Umgebung in Herz und Verstand gezogen hat, wie sehr in seine Gefühlswelt einbezogen Pflanzen waren.

Rosen

Pflücke Rosen für den Kampf
Brich Lilien für den Frieden.
Walafried Strabo, um 842

Vergißmeinnicht

Dieser Wurzel angehängt, soll die Buhler holdselig und wert machen.
Aus dem Kräuterbuch für Apotheker und Ärzte von Lonizer, Augsburg 1678

Liebstöckl

Durch den guten Geruch
Unter den Menschen ist nichts Schöneres als wann einer wohl angesehen, beliebt und in Ehren ist wegen seines Wohlverhaltens, so wie der Liebstöckl wegen seiner Tugend gehalten wird. Wie er auch wegen seines angenehmen Geruches wert gehalten wird, in allen Gärten gezielet, als ein Gewürz gebraucht wird, eine köstliche Speiswurzel und ein wohlriechend Badkraut ist.
Axtelmeier 1705

In einer deutschen Übersetzung des 1847 in Paris erschienenen Buches „Les Fleurs Naturelles"
von Jules Lachaume lesen wir

über das **Geißblatt**
> Liebesband
> Diese Pflanze heftet sich an die Hölzer, wie die Frau an den Mann, den sie liebt und der
> sie in ihrer Schwäche schützen soll.

über die **Geranie**
> Dummheit
> Diese auffallende Blume besitzt keinerlei Duft. Sie gleicht einem dummen Menschen, der
> nur durch seine Kleider Eindruck machen will.

Die menschliche Phantasie hat die fremde und neue **Tomate** oder der „Liebesapfel" wohl ganz
besonders beflügelt. Davon zeugt das nachstehende Beispiel:

> Schön zwar, aber schädlich
> Gedachte schöne Dolläpfel kommen sonsten aus Neapel und wollen in Deutschland nicht
> wohl gedeihen, weil dieses Gewächs keinen Frost kann leiden. Sie werden von den Latei-
> nern Liebes-Apfel genennet wegen ihrer Schönheit und nicht, daß sie einige Kraft hätten,
> die Liebe zu erwecken. In Latein heißen sie „Mala in sana", ungesunde Äpfel. Bellarius
> versichert im Gegenteil, daß sie die Ägypter fast täglich in der Asche braten, in Wasser
> kochen oder aber backen und essen. Warum aber in Deutschland sie Doll-Äpfel genennet
> werden, davon wüßte ich die Ursache nicht zu finden, weil deren Genuß die Leute nicht
> doll macht.
> Aus Axtelmeier: Der nutzbaren Gewächse Sinnsprüche und Sinnbilder, Augsburg 1705

Alt und neu nebeneinander: Krasser geht die Zusammenstellung kaum wie auf diesem Bild. Da steht der **Wacholder**, heimischer Strauch und außerdem alte Nutz- und Zauberpflanze, neben dem **Chinaschilf** (Miscanthus spec.), einem Neuankömmling aus Ostasien, noch dazu in einer Züchtung mit gelbgrünen Blättern. Dahinter am Fachwerkhaus klimmt der **Weinstock** hoch, eine sehr alte Kulturpflanze.

Alt und neu

oder: **Des Kaisers Güterverordnung und der Geschmack fränkischer Bäuerinnen**

In den ländlichen Gärten oder Bauerngärten gibt es über große Zeiträume hinweg Überkommenes und viele altbewährte Pflanzenarten. Das geht soweit zurück, daß wir heute noch zahlreiche Arten des „Capitulare de Villis" der Landgüterverordnung für kaiserliche Güter in Frankreich, vor oder nach der Jahrhundertwende vom 8. zum 9. Jahrhundert erlassen, dort finden. Einmal wird diese Verordnung mit der Jahreszahl 795 angegeben, ein andermal mit 812 datiert. Wird sie in den meisten Fällen Kaiser Karl dem Großen zugeschrieben, so auch manchmal seinem Sohn Ludwig dem Frommen. Sicher ist also ihr hohes Alter von fast 1200 Jahren. Das ist das Erstaunliche, daß die Verordnung für kaiserliche Landgüter in Frankreich oder gar Südwestfrankreich erlassen wurde, und sich heute noch die meisten der dort genannten Arten in den ländlichen Gärten Frankens finden, obwohl doch die kaiserlichen Gärten in Frankreich vor so langer Zeit wohl gar nichts mit unseren meist kleinbäuerlichen Gärten in Franken zu tun haben, sieht man von deren Artenreichtum ab. In einer Untersuchung von ländlichen Gärten die 1992 in Oberfranken durchgeführt wurde (WALTER 1993 + 94) konnten in 55 Dörfern und 9 älteren Einzelgärten insgesamt 310 Arten gefunden werden. Wobei deutlich neue Blumen-, Strauch- und Baumarten unbeachtet geblieben sind. Dabei wurden folgende Vergleichszahlen mit der Artenliste des Capitulare festgestellt:
Von 30 Gemüse- und Salatarten (von denen aus klimatischen Gründen für unser Gebiet mindestens 5 Arten ungeeignet sind) noch 16 Arten.
Von 5 „Blumen"-Arten noch 4 Arten.
Von 14 Baum- und Obstbaumarten (bei 4 aus klimatischen Gründen ungeeigneten) noch 7 Arten.
Von 36 Kräuterarten (wobei aus klimatischen Gründen 15 ungeeignet sind) noch 16.
Insgesamt sind von den 87 im Capitulare genannten Arten in ländlichen Gärten Oberfrankens noch 46 Arten = 53 % vorhanden.
Das läßt sich nur so erklären, daß die im Capitulare empfohlenen Kulturarten bereits längere Zeit in Kultur und entsprechend erprobt waren. Unter diesen Arten befinden sich sogar solche, die bereits in der Antike bei Griechen und Römern in Kultur waren.

Weil nun der bäuerliche Nutzgarten in Franken schon immer für Neuankömmlinge offen, immer schon von Neugier und Experimentierfreude seiner Eignerin bestimmt war, kommt es häufig vor, daß neben der schon in der Antike verehrten **Lilie** und **Rose**, Neuankömmlinge wie der **Feuerdorn** (Pyracantha coccinea), die **Kolkwitzie** (Kolkwitzia amabilis), **Essigbaum** (Rhus typhina) und **Riesen-Bärenklau** (Heracleum mantegazzianum) dort stehen können. **Chinaschilf** und **Palmlilie, Kirschlorbeer, Rhododendron, Japanische Scheinquitte** und **Straußfelberich** stehen so buntgemischt mit **Akelei, Bartnelke, Moschus-Malve, Ringelblume, Deutscher Schwertlilie, Kreuz-Wolfsmilch** und sogar dem **Schlaf-Mohn**, der schon mit den ersten Ackerbauern in der Jungsteinzeit zu uns gekommen ist. Alt und neu beieinander, das ist so ein wichtiges Gestaltungsprinzip für ländliche Gärten. Bestimmende Prinzipien, die zu diesem bunten Durcheinander führten, sind einmal der feste Wille Altbewährtes und -beliebtes zu erhalten, und gleichzeitig die Neugierde auszuprobieren was Nachbarin und neuerdings Versandhandel und Staudencenter anzubieten haben.

Koniferen-reichtum der Vorgärten

Welch großen Einfluß die Baumschulbetriebe, Gartencenter und Pflanzenversandhandlungen heute ausüben und welche Bedürfnisse sie zu wecken verstehen, sehen wir dorfauf, dorfab am Koniferen-Reichtum der Vorgärten und sehen es besonders deutlich an den total nutzlosen Zuckerhutfichten. An den dörflichen Gärten im baumschulreichen Gebiet im südlichen Landkreis Forchheim läßt sich das angebotene Sortiment der dortigen Baumschulen deutlich ablesen. Welcher Einfluß davon ausgeht können wir auch daraus ablesen, daß manche früher weitverbreiteten Arten der Bauerngärten im Handel heute einfach nicht mehr zu bekommen sind und durch völlig andere Arten ersetzt werden. So ein Beispiel ist das alte **Jelängerjelieber** oder **Geißblatt** (Lonicera caprifolium) das nur noch in alten Hausgärten zu finden ist, während mittlerweile das sehr ähnlich aussehende ebenfalls rankende Geißblatt (Lonicera heckrottii), eine völlig neue Art, sich bereits in vielen ländlichen Gärten statt seiner findet.

Während manche alten Bauerngartenarten schon längst nach draußen verwildert sind wie das **Märzveilchen**, die **Moschus-Malve**, der **Blaue Eisenhut, Flieder** und **Seifenkraut, Tripmadam** (Sedum reflexum) und **Immergrün**, fanden neue Arten Eingang in unsere ländlichen Gärten und haben sich nach entsprechender Bewährung dort etabliert, wie z. B. der **Punktfelberich** (Lysimachia punctata) und das **Silberkraut** (Lobularia maritima), u. a. Ständig neu ankommende Arten stehen heute dort neben Arten wie **Levkoje** oder **Goldlack**, die diesen Gärten über lange Zeiträume hinweg treu geblieben sind und auch heute noch in der besonderen Liebe und Zuwendung der Bäuerinnen zu stehen scheinen.

126

Alt und neu sind selbstverständlich beieinander in unseren ländlichen Gärten:

Ein alter Bürger dort, vielleicht schon durch die Römer nach Mitteleuropa gebracht, ist der **Buchs** oder **Buchsbaum** (Buxus sempervirens L.). Der immergrüne Strauch mit submediterraner Verbreitung, die bis ins Oberrheingebiet und ins Moseltal ausstrahlt, findet sich in unseren Gärten als immergrüne Symbolpflanze und als wichtiges Element der Renaissance- und ebenso der späteren Barockgärten.

Ein Neubürger unserer Dörfer ist dagegen der aus Nordamerika stammende **Essigbaum** oder **Kolben-Sumach** (Rhus typhina L.).
Schon im 17. Jahrhundert nach Mitteleuropa gebracht, ist er ein noch junger Neubürger unserer Dörfer, der dort meistens nur außerhalb der Gärten am Gartenzaun gepflanzt wurde. Im Herbst schmückt sich der giftige Strauch oder Baum mit scharlachroten Blättern, weithin prahlend.

Der **Weiden-Spierstrauch** (Spiraea salicifolia),
ein ca. 2 m hoch werdender Strauch, wohl im östlichen
Europa und Sibirien beheimatet, ist in Mitteleuropa seit
dem Ende des 16. Jahrhunderts kultiviert. Man begegnet
ihm in alten Beständen in Gärten und Parkanlagen von
Gütern und Adelssitzen oder verwildert am Rande der
Dörfer und in freier Landschaft. Der alte Blütenstrauch,
ursprünglich in zahlreichen Bastarden in Kultur, ist außer
Mode gekommen, ebenso wie die beiden Nordamerikaner
Schneebeere (Symphoricarpos rivularis) und
Blasenspierstrauch (Physocarpus opulifolius).

Auch die **Mahonie** (Mahonia aquilegifolium) ist nur noch
in alten ländlichen Gärten und Parkanlagen in alten
Strauchbeständen ohne Verjüngung zu finden. Die Art
wurde erst im 19. Jahrhundert aus Nordamerika zu uns in
Gärten und Friedhöfe gebracht. Ihres wintergrünen Laubes
wegen wurde sie auch gärtnerisch angebaut und für
Grabsträuße verwendet.

Eine schöne margeritenähnliche Staude ist das **Pyrethrum** (*Chrysanthemum coccineum syn. Pyrethrum roseum*). Dicht rosettenartig beieinander stehen die zahlreichen schönen und zartgefiederten Blätter. Die weiß und besonders rosa oder rot blühende Staude ist eine beliebte Gartenpflanze und Schnittblume.

Ebenfalls im Kaukasus und den benachbarten Ländern beheimatet ist der auffallend reichblühende **Storchschnabel** (*Geranium ibericum*) mit seinen großen violettblauen, purpurn geaderten Blüten, der zunehmend auch in die ländlichen Gärten Eingang findet.

Die **Ungarische Kugeldistel** (Echinops exaltatus)
ist eine in ländlichen Gärten kaum mehr anzutreffende
prächtige Pflanze von über Mannshöhe aus Südosteuropa.
Ihr ist heute in der freien Landschaft leichter zu begegnen
als in Gärten, wo sie mittlerweile längst durch
farbenprächtigere, niedrigere Arten und Sorten ersetzt
wurde (hier am Forstamt Ebrach).

Die **Flachblättrige Mannstreu** (Eryngium planum) oder
„Edeldistel" mit vielen blauen Köpfchen an reich
verzweigten Stengeln stammt aus Zentralasien. Sie ist eine
Art, die z. Z., in ländlichen Gärten ständig häufiger
werdend, den zunehmenden Einfluß von Staudengärtnereien und -Versandhandel anzeigt.

Der **Syrische Eibisch** (Hibiscus syriacus), den wir aus südlichen Ländern und wärmeren Landschaften als schönen Zierstrauch kennen, ist gerade dabei, auch unsere Hausgärten zu erobern. In Indien und China beheimatet, ursprünglich violett blühend, kommt er mittlerweile in vielen Züchtungen nun auch mit weißen, roten und blauen Blüten, sogar gefülltblühend, vor.

Erstaunlich ist es schon, wie Neuankömmlinge aus fernen Ländern so rasch Eingang finden in Dörfer und ländliche Gärten. So ist es auch mit dem **Japanischen Spindelbaum** (Euonymus japonica), einem Verwandten unseres Pfaffenhütchens, der sonst weithin noch unbekannt in Schnaid im Landkreis Bamberg plötzlich die ganze Giebelwand eines kleinen Hauses verkleidet.

131

Die einjährige Pflanze mit den grünweiß gestreiften Blättern ist eine **Wolfsmilch-Art** (Euphorbia margaritifera) aus Nordamerika. Im Handel wird sie **„Schnee auf dem Berge"** genannt. Ein Blumenhändler aus Heroldsbach im Landkreis Forchheim, der im Sommer und Herbst in Bayreuth seine bunten Blumensträuße auf der Straße anbietet, in denen zeitweise auch die abgebildete Art enthalten ist, gab mir, nach dem Namen der Pflanze befragt, fränkisch-pfiffig zur Antwort: „Japanisches Edelweiß". Die Art findet sich in den wärmeren Teilen Frankens vor allem westlich von Bamberg als selbstaussamende neue Art.

In fränkischen Haus- und Vorgärten findet sich, ebenfalls nur westlich von Bamberg, eine weitere eigenartige einjährige Pflanzengestalt. Es ist die **Besen-Radmelde** oder **Sommerzypresse** (Kochia scoparia) aus der Familie der Gänsefußgewächse, die in den Steppen Südosteuropas bis Zentralasien beheimatet ist.

Der **Schlaf-Mohn** (Papaver somniferum) ist seit der Jungsteinzeit in Süddeutschland nachgewiesen und, mit vermuteter Herkunft aus Südwesteuropa oder Ostasien, eine unserer ältesten Kulturpflanzen. In Gärten und Feldern früher als Nutzpflanze angebaut, findet er sich heute seltener in Gärten. Dort kommt er dann allerdings auch noch wie abgebildet in gefüllten Formen vor. Das ist auch ein bäuerliches Gartenelement: **Möglichst auffallend, farbig oder gefüllt!**

Auch die Großköpfige Flockenblume (Centaurea macrocephala) oder „Gold-Flockenblume" ist eine neue prächtige Staude, die durch Staudengärtnereien verbreitet wird. So eine auffällige Erscheinung wie sie wird sich wohl für eine längere Zeit in den ländlichen Gärten etablieren.

Die **Japanische Anemone** (Anemone japonica)
weicht vom eben genannten Prinzip ab. Sie ist eher eine
vornehme Blume für Parkanlagen, aber sie ist neu und
schön, ausreichend, um botanische Neugier zu erwecken.
Deshalb begegnet man ihr zunehmend häufiger auch in
ländlichen Gärten.

Eine wohl sehr alte Pflanze der Bauerngärten ist dagegen
die heimische **Rote Lichtnelke** (Silene diocia).

Die **Palmlilie** *(Yucca spec.), ein frosthartes Liliengewächs aus dem südlichen Noramerika, erobert sich gegenwärtig ebenfalls die ländlichen Vorgärten.*

Dem **Schneeball** *(Hyárangea spec.) ist in mehreren Arten ebenfalls zunehmend häufiger in unseren ländlichen Gärten zu begegnen.*

Das wärmeliebende **Große Immergrün** (Vinca major) aus dem Mittelmeergebiet erobert sich z. Z. anstelle des altbekannten **Kleinen Immergrüns** (Vinca minor), heute mehr verwildert als kultiviert vorkommend, die Vorgärten der Dörfer und dabei vor allem in der panaschierten Form mit weißrandigen Blättern.

Grünweiß panaschiert sind auch die Blätter des **Weißen Hartriegel** (Cornus alba) aus Nordamerika, der ab und zu in ländlichen Gärten angepflanzt zu finden ist.

Der Bauerngarten und die weite Welt

Zu glauben, wie es sicher oft geschieht, der Bauerngarten enthalte im Wesentlichen einheimische Arten, ist ein Irrglaube. Die heimischen Wildpflanzen die sich dort finden lassen sind an den Fingern abzuzählen:

Das **Leberblümchen** (Hepatica nobilis), auch in weiß- oder rosablühenden Züchtungen und der **Märzenbecher** oder die **Frühlingsknotenblume** (Leucojum vernum), oft genug aus heimischen Beständen geräubert, sind es und der als Beeteinfassung selten zu findende **Scharfe Mauerpfeffer** (Sedum acre) oder ebenso das **Pfennigkraut** (Lysimachia nummularia) mit ihrem hochsommerlichen Blütenteppich. Als seltene Solitärstaude oder im Staudenbeet begegnet uns dort der stattliche **Geißbart** (Aruncus vulgaris). In Gärten der Mittelgebirge Fichtelgebirge und Frankenwald ist noch sehr selten die **Tag-Lichtnelke** (Lychnis dioica) als bescheidene Blütenpflanze zu finden, und ebenso selten die **Wiesen-Wucherblume** (Leucanthemum vulgare) oder die **Nesselblättrige Glockenblume** (Campanula trachelium). Eine andere heimische Art, allerdings in großblütigen und intensivblauen Züchtungen, ist die **Knäuel-Glockenblume** (Campanula glomerata) in vielen Staudenbeeten fester Bestandteil der Bauerngärten. Heimisch, aber züchterisch bearbeitete Art ist das **Maßliebchen** (Bellis perennis). Im Großen und Ganzen sind einheimische Pflanzenarten zu schlicht zur Kultivierung und von vorneherein zu wenig attraktiv. Der **Frauenfarn** (Athyrium filix-femina), **Männlicher Wurmfarn** (Dryopteris filix-mas), **Efeu** (Hedera helix), **Himbeere** (Rubus idaeus), **Maiglöckchen** (Convallaria majalis), **Pfirsichblättrige Glockenblume** (Campanula persicifolia) und **Akelei** (Aquilegia vulgaris), allerdings züchterisch verschönt, und das **Felsen-Steinkraut** (Alyssum saxatile) sind weitere einheimische Arten im Bauerngarten. Das **Lungenkraut** als alte Heilpflanze in unseren Gärten ist die südbayerische Unterart (Pulmonaria officinalis ssp. officinalis) und nicht das bei uns wildwachsende **Dunkle Lungenkraut** (Pulmonaria officinalis ssp. obscura). Die **Silber-Goldnessel** (Galeobdolon argentatum) ist wohl eine alte gärtnerische Züchtung aus dem Formenkreis der heimischen Goldnessel. Ebenso die **Garten-Weißwurz** (Polygonatum hybridum) aus den heimischen Arten (Polygonatum odoratum und P. multiflorum). Das **„Hemdsknöpfla"**, eine gefüllt-blühende Züchtung der Sumpf-Schafgarbe (Achillea ptarmica), das **Bandgras** (Typhoides arundinacea var. picta) und zuletzt der **Schneeballstrauch** (Viburnum opulus var. roseum) als Züchtung aus

*Die **Kanadische Goldrute** (Solidago canadensis)
ist neben der ihr zum Verwechseln ähnlichen **Hohen
Goldrute** (S. gigantea) eine der häufigsten Zierpflanzen
ländlicher Gärten und vor allem auch schon überall
verwildert anzutreffen.*

unserem einheimischen **Gemeinen Schneeball** (Viburnum opulus) sind Arten mit heimischen
Bezügen. Auch bei den Königskerzen unserer Gärten taucht immer mal wieder die **Kleinblüti-
ge Königskerze** (Verbascum thapsus) als heimische Art auf. **Roter** und **Schwarzer Johannis-
beerstrauch** haben sicher keine großen Wege in unsere Gärten zurückgelegt. Ebenso der attraktive **Rote Fingerhut** (Digitalis purpurea), aus den Hochstaudenfluren der Alpen der **Blaue Eisenhut** (Aconitum napellus) und aus alpinen Matten die **Aurikel** (Primula auricula). Zu den
Gartenpflanzen **montan bis alpiner Herkunft** gehört auch noch der **Straußfarn** (Matteucia
struthiopteris) mit seinen schönen, wohlgeformten Blattrichtern. **Schneerose, Gemswurz,
Trollblume, Vergißmeinnicht, Rasen-Steinbrech, Hoher Rittersporn** und der **Goldregen-
strauch** sind alpiner Herkunft.
Groß ist die Zahl der Gartenpflanzen die aus dem **Mittelmeerraum** in unsere Gärten verbracht
wurden. Da sind die Arten des Gemüsegartens mit **Süßholz, Schwarzwurzel** (Scorzonera hispanica), **Borretsch** und **Sellerie**. Im Kräutergarten sind es **Alant, Bohnenkraut, Borretsch,
Dill, Katzenminze, Koriander, Lavendel, Mariendistel, Melisse, Ähren-Minze** und **Rund-**

*Eine höhere Blütenstaude ist auch die **Sonnenbraut** (Helenium autumnale) aus Kanada. Von der schönen Staude gibt es bereits viele Züchtungen, und so wechselt die Blütenfarbe verschiedener Pflanzen von zitronengelb über kupferorange bis hin zu bronzebraun. Auffällig für diese Gattung sind die hochgewölbten Blütenköpfe.*

blättrige Minze, Mutterkraut, Petersilie, Rosmarin, Salbei, Stockmalve, Kreuz-Wolfsmilch, Thymian, Tripmadam, Weinraute, Wermut und **Ysop**. Von den Sträuchern sind es **Buchs**, und am Zaun das **Jelängerjelieber** (Lonicera caprifolium). Reich vertreten im Blumengarten ist das mediterrane Element mit den Arten:
Bartnelke, Blasenkirsche, Eselsdistel, Federnelke, Feuerlilie, Gartennelke (Dianthus caryophyllus), **Goldlack, Dach-Hauswurz, Großes** und **Kleines Immergrün, Wilde Karde, Rispen-Mannstreu, Doldiger Milchstern, Moschus-Malve, Narzisse, Schwarze Nieswurz, Osterglocke, Breitblättrige Platterbse, Ringelblume, Hohe Gelbe Schafgarbe, Schlafmohn, Immergrüne Schleifenblume, Schneeglöckchen, Italienische Waldrebe** (Clematis viticella) mit ihren Züchtungen und **Vielfarbige Wolfsmilch** (Euphorbia polychroma). Von den einjährigen Sommerblumen sind es **Marien-Glockenblume, Goßes Löwenmaul** und **Sommer-Rittersporn**.
Eine Welt für sich ist der Bauerngarten, eine kleine Welt und doch mit der „ganzen Welt" verbunden. Eine Weltreise in Gedanken ist nötig und möglich, folgt man den Pflanzenarten der ländlichen Gärten in ihre eigentliche Heimat.

So stammen aus den **Pyrenäen** die **Große Margerite** und aus dem **Kaukasus Brunnera** und der **Tüpfelstern**. Aus dem **vorderen Orient Türkischer Mohn, Tulpe** und **Apfelbaum**, aus **Afrika** die einjährige **Goldblume** (Chrysanthemum coronarium), und aus **Südafrika Lobelie** und **Geranie** oder **Pelargonie** (Südafrika-Kapland).

Von den **Azoren** und **Kanaren** kam das **Silberkraut** (Lobularia maritima).

Aus der **Neuen Welt** haben wir eine Fülle von Arten bekommen, so z. B. verschiedene **Herbstaster**-Arten, **Cosmee** oder **Schmuckblume, Schönauge, Kleine Herzblume, Berufkraut, Feinstrahl, Goldrute, Indianernessel, Kokardenblume, Lupine, Mahonie, Nachtkerze,** mehrere **Rudbeckien, Perlblume, Purpurglöckchen, Sonnenblume,** dazu noch aus **Mittelamerika**-Mexiko: **Dahlie, Kürbis, Feuerbohne, Wunderblume, Nachtviole, Tagetes** und **Tabak.** Aus **Südamerika** dazu die **Giftbeere** (Nicandra physaloides), **Kartoffel** und **Tomate.** Aus dem fernen **Ostasien** kamen relativ spät zu uns: **Sommeraster, Japanische Anemone, Herbst-Chrysantheme, Goldranunkelstrauch** und **Japanische Quitte, Indisches Springkraut.**

Vom fernsten Kontinent, nämlich **Australien**, kommt die **Strohblume.**

140

Große Blütenköpfe mit rosa bis purpurroten Zungenblüten besitzt der **Rote Sonnenhut** (Echinacea purpurea), der z.Z. in unseren ländlichen Gärten sehr in Ausbreitung ist. Die schöne Staude ist eine modern gewordene Heilpflanze und wird deshalb auch zunehmend häufiger kultiviert.

Die **Neuengland-Aster** (Aster novae-angliae) ist eine häufige hochwüchsige Herbstaster, die es auch in mehreren Sorten und Farben gibt. Sie ist nur eine von mehreren Arten der aus Nordamerika stammenden Herbstastern, von denen manche Arten auch leicht zur Verwilderung und Bastardisierung neigen. Deshalb treten bei uns sogar „Arten" (sogenannte Kenophyten) auf, die es in ihrer Heimat gar nicht gibt.

Das Blumenbeet vorm Haus an Stelle der früheren Miststatt, Kübelpflanzen und die blumengeschmückten Fenster zeigen die Blumenliebe der Bäuerin an. (Einzel Ruspen östlich von Creussen im Landkreis Bayreuth.)

Zusammengehörigkeit

oder: **Die Liebe des Deutschen zur Zitrone**

Der Garten steht nicht allein, entweder er liegt direkt am Haus oder ganz in seiner Nähe. Es gibt aber auch eine weitere Verbindung, eine Zusammengehörigkeit, die man erfühlt oder deutlich sehen kann. Dieses Zusammengehören von Garten und Haus und Dorf ist hoffentlich im Vorangegangenen deutlich herausgekommen. Ist der Garten in „guten Händen" so sind es Mann, Kind und Tier auch, und sogleich ist der Garten ein besonderes Schmuckstück für das ganze Dorf. Meistens sind dann auch noch die Fensterbänke mit Blumen geschmückt, und der am Haus geduldete **Weinstock**, das geht eben einfach zusammen. Weil die Bäuerin im Winter, wenn Garten und Blumenpracht unterm Schnee ruht, nicht ohne Blumen und Pflanzen sein kann, hat sie einige Stöcke auf der Fensterbank. **Amaryllis, Clivie, Myrte, Rosmarin, Meerzwiebel** oder **Weihnachtskaktus** waren das bei der Großeltern-Generation meistens, und das steht alles im Sommer vor der Tür, auf der Treppe, an der Hauswand, am Garten, am Gartenzaun. Der **Weihnachts-** oder **Blattkaktus**, das **Fuchsienbäumchen**, eine **Amerikanische Agave**, vielleicht sogar eine kleine **Fiederpalme** oder ein **Zitronenbäumchen** können es sein. Mehr oder weniger bewußte oder unbewußte Sehnsucht nach dem Süden „dorthin wo die Zitronen blühn" drückt sich darin aus. Dazu kommen mit dem **Oleander** (Nerium oleander) und mit immer riesigeren Büschen von **Engelstrompeten** die großen Kübelpflanzen. Neuerdings sind auch die **Afrikanische Schmucklilie** (Agapanthus africanus) und ein blaublühendes Nachtschattengewächs, der **Enzianbaum** (Solanum rantonnetii) aus Südamerika hinzugekommen.

Es müssen keine vom Fremdenverkehrsverein angeordneten Geranienorgien sein. Manchmal zeigt auch ein nur mit ein paar Geranien oder Petunien geschmücktes Zimmer- oder Stallfensterchen oder ein paar Töpfe mit Glücksklee die Blumenliebe der Hausbewohnerin an. Mit einem Blick ist zu erfassen, wo es sich leben und atmen läßt.

In den letzten Jahren sehr „in Mode gekommen" sind die **Engelstrompeten** (Datura arborea, D. suaveolens, D. metel) mit ihren großen exotischen Trichterblüten in weiß, gelb oder rosa.

Noch jünger im Bauerngarten oder in der Umgebung des Hauses ist das **Indische Blumenrohr** (Canna indica) als echter Neuling in unseren Dörfern. Bisher nur aus städtischen Anlagen und Schloßgärten bekannt, hat die prächtig blühende Pflanze, deren verdickte Wurzelstöcke im Keller überwintert werden müssen (ähnlich den Dahlien) schon lange die Gunst mancher Bäuerin gefunden.

*Der Blumenschmuck der Dörfer beschränkt sich nicht nur auf die Gärten allein. So wie hier auf dem Bild in der kleinen Stadt Königsberg, in den Haßbergen, findet man es in ähnlicher Weise jedoch selten. **Wein** rankt am Haus, in kleinen Rundbeeten leuchten gelbe **Tagetes** und auf den Treppenstufen stehen den ganzen Sommer lang frostempfindliche Fenster- und Zimmerpflanzen.*

Das ist auch so ein Charakteristikum der bäuerlichen Gärten, daß ihr Pflanzenkleid nicht am Zaun endet, sondern fließende Übergänge zum Hof, zum Dorfrand oder gar zur freien Flur vorhanden sind.

Den fließenden Übergang und die Toleranz auch Wildpflanzen gegenüber zeigt das Bild des Wirtschaftshofes des Bauernhofmuseums Kleinlosnitz, südlich Münchberg, in Oberfranken sehr schön.

Scheinbar unabsichtlich ist die Hofgartensäule mit der
Kaukasischen Fetthenne (Sedum spurium) geschmückt.

Selbstverständlich steht die stattliche Erscheinung der
Kleinblütigen Königskerze (Verbascum thapsus) dem
Garten nahe im Hofraum.

Während sich der **Oleander** (Nerium oleander) schon seit Jahrzehnten in der Obhut der einen oder anderen Bäuerin befindet, ist der kleine **Feigenbaum** (Ficus carica) ein relativer Neuling. Es schmeichelt der Bäuerin und Hausfrau, wenn sie so sonnenhungrige Pflanzen aus dem Süden mit Erfolg beherbergt.

An einer besonders geschützten und sonnigen Stelle im Eingangsbereich des Bauernhauses steht selten auch einmal ein **Zitronenbäumchen** (Citrus limon). Doch in den Dörfern gibt es auch zunehmend häufiger Urlaubs-mitbringsel aus südlichen Ländern als Kübelpflanze vor den Häusern nichtbäuerlicher Dorfbewohner.

*Manchmal gibt es sich noch richtig dörflich mit einem Steintrog aus dem alten Stall, bepflanzt mit **Knollenbegonien** in kräftigen Farben.*

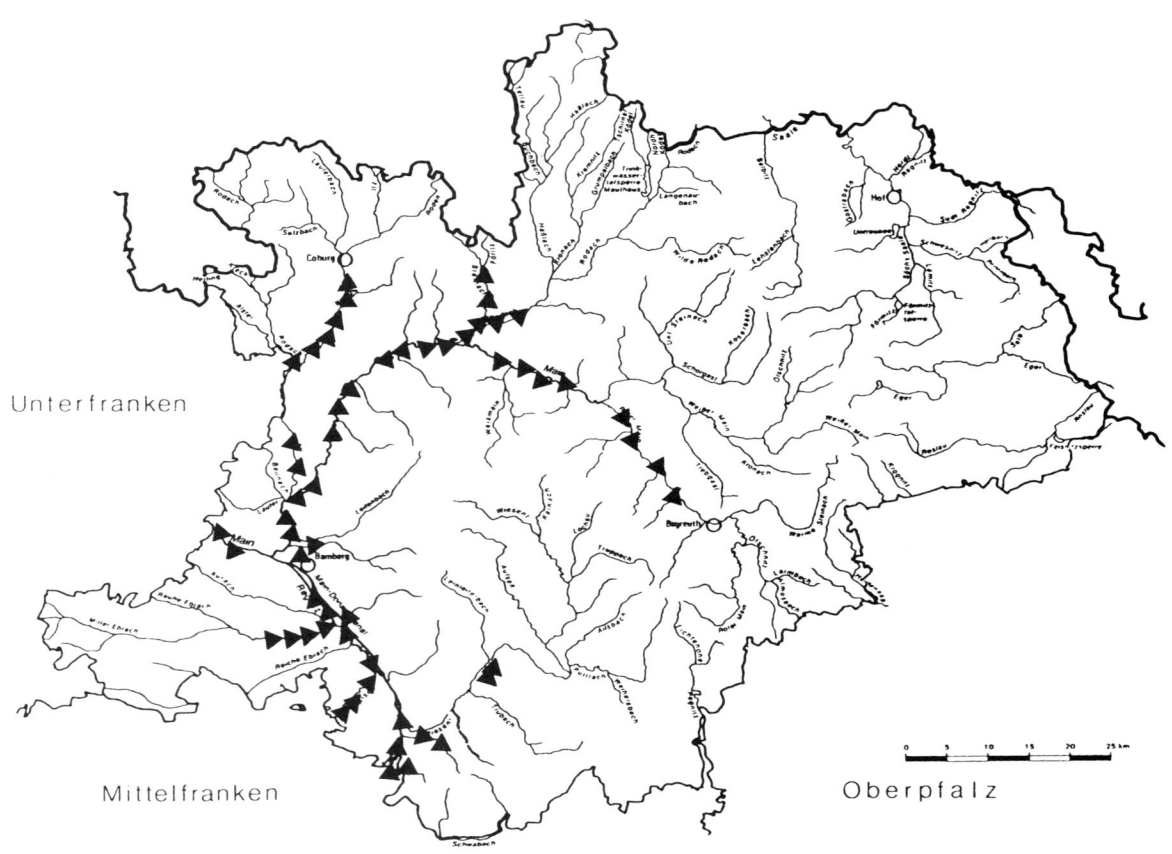

Die Karte mit dem Fließgewässernetz von Oberfranken zeigt die dort bisher beobachteten Verwilderungen der Knollen-Sonnenblume (Helianthus tuberosus L.) an Main und Regnitz. Dieses Beispiel einer aus Nordamerika stammenden verwilderten Gartenpflanze kann zeigen wie ausbreitungstüchtig manche Gartenflüchtlinge sind. Die Ausbreitung der Art im dargestellten Umfang hat zwischen ca. 1910 und heute stattgefunden. Darüber hinaus gibt es auch bereits zahlreiche kleinere Verwilderungen außerhalb des Main-Regnitz-Flußsystems.

150

Von der Gartenpflanze zum „Neubürger"

oder: **Der Hausgarten als Zwischenstation**

Neophyten oder Neubürger nennt der Botaniker fremde Pflanzenarten die seit 1500 (nach der Entdeckung Amerikas und des Beginns weltweiten Handels) bei uns heimisch wurden. Dabei sind sehr viele ehemalige Gartenpflanzen. Außer den beiden nachfolgend abgebildeten Arten sind z. B. die **Goldrute, Nachtkerze** und das **Indische Springkraut** solche Neubürger. Eine große Anzahl von Pflanzenarten unserer „heimischen" Flora sind solche sogenannte „Neubürger" oder „Gäste" verschiedenster Herkunft aus „aller Welt". Interessant ist dabei auch wie die einzelnen Arten fremder Herkunft nach Mitteleuropa gelangt sind, wodurch sie sich ausbreiten konnten oder ausgebreitet wurden (z. B. Eisenbahn, Straßen, Wasserwege oder mit Saatgut) und welche Strategien sie dabei benützten, auch welches ihre Zwischenstationen vor der eigentlichen Ausbreitung waren. Viele Arten wurden vor ihrer Ausbreitung in der freien Landschaft in Gärten kultiviert, konnten sich dort regelrecht akklimatisieren, ehe sie ihre Invasion in die freie Landschaft begannen. So sieht man dem **Immergrün** (Vinca minor) unserer Wälder, der **Moschus-Malve** (Malva moschata) der Magerwiesen und Böschungen, der **Felsen-Fetthenne** (Sedum reflexum) an felsigen und sandigen Orten, dem **Straußfarn** (Matteucia struthiopteris) in naturnahen Bachtälern und der **Arznei-Engelwurz** (Angelica archangelica) an Flußufern, ihre Gartenherkunft kaum mehr an. Weitere solche Arten sind: **Berg-Flockenblume** (Centaurea montana), **Filz-Hornkraut** (Cerastium tomentosum) und **Schöne Telekie** (Telekia speciosa).

Was die ursprüngliche Herkunft dieser ehemaligen Gartenpflanzen anbelangt, lassen sich leicht einige artenreiche Gruppen unterscheiden. Da sind die Nordamerikaner **Einjähriger Feinstrahl** (Stenactis annuus), die **Weidenblatt-Aster** (Aster salignus) und weitere Asternarten, die **Kanadische** und die **Späte Goldrute** (Solidago canadensis u. S. serotina), **Virginische Nachtkerze** (Oenothera biennis), **Gelbe** und **Moschus-Gauklerblume** (Mimulus guttatus u. M. moschatus), **Essigbaum** (Rhus typhina), **Perennierende Lupine** (Lupinus polyphyllus) und **Topinambur** (Helianthus tuberosus).

Neubürger und Gäste

151

Aus dem Kaukasusgebiet kamen **Faden-Ehrenpreis** (Veronica filiformis), **Kaukasus-Gänse-kresse** (Arabis caucasica), **Kaukasus-Fetthenne** (Sedum spurium), **Riesen-Bärenklau** (Heracleum mantegazzianum) und **Tüpfelstern** (Lysimachia punctata).

Ostasien ist die Heimat vom **Indischen** oder **Drüsigen Springkraut** (Impatiens glandulifera), **Japanischen** und **Sachalin-Staudenknöterich** (Reynoutria japonica u. R. sachalinensis).

Von den vergleichsweise wenigen aufgezählten Arten haben sich nachträglich auch einige Arten mit aggressiven Ausbreitungsverhalten zu regelrechten „Problempflanzen" entwickelt. Das sind bis jetzt vor allem das **Indische Springkraut, Kanadische** und **Späte Goldrute, Japanischer** und **Sachalin-Staudenknöterich, Riesen-Bärenklau** und **Topinambur.**

Der **Riesen-Bärenklau** (Heracleum mantegazzianum) ist eine zu sehr auffällige und zudem so attraktive Pflanze, daß man sich ihr in den Dörfern auch nicht versagen kann. Bis zu 3 m hoch wird die zweijährige Art mit den großen, tellerartig ausgebreiteten schmückenden Blütendolden bei uns. Im Kaukasus beheimatet, wurde die Art erst um 1890 in Mitteleuropa eingeführt. Seitdem hat sie sich über die Hausgärten in Stadt und Land, und ihre spätere Verwilderung in die freie Landschaft weit ausgebreitet. Bestände, wo sie mechanisch bekämpft wurde, gibt es in einigen Frankenwaldtälern im nordöstlichsten Franken. Es gibt aber auch bereits Bekämpfungskampagnen mit Herbizideinsatz in anderen Ländern. Der Riesen-Bärenklau besitzt die sehr unangenehme Eigenschaft der Phototoxie, d. h. Hautkontakt bei Sonnenlicht führt zu lästigen, anhaltend schmerzlichen Brandblasen.

Der **Tüpfelstern** (Lysimachia punctata) ist ebenfalls im Kaukasus und den östlichen Ostalpen und benachbarten Gebieten beheimatet. Der **Tüpfelstern, Goldfelberich** oder **Punkt-Felberich**, seit etwa der Mitte des vorigen Jahrhunderts in unserem Gebiet, ist durch seinen Blütenreichtum, lange Blütezeit sowie seine Robustheit eine scheinbar ideale Gartenstaude und deshalb gerade für ländliche Gärten besonders gut geeignet. Deshalb hat er dort bereits einen regelrechten Siegeszug hinter sich, der mittlerweile auch die lästige Eigenschaft allzu rascher Ausbreitung gezeigt hat. Er vermag mit seinen quecken-ähnlichen Rhizomen andere Arten zu verdrängen und leicht in die freie Landschaft zu verwildern.
Auf dem Bild sind die **Madonnenlilie** und die **Vexiernelke**, beides sehr alte Gartenpflanzen mit tolerantem Verhalten, erkennbar.

Hausgarten und Gottesacker – eine Verbindung?

Früher war es wohl so, und sicher gab es jahrhundertelang zwischen dem Pflanzenbestand der ländlichen Gärten und denen der Gottesäcker oder Kirchhöfe viele Verbindungen in Franken. War man doch auch hier Selbstversorger und nahm im Garten Bewährtes zum Bepflanzen der Gräber. Es blieb ja auch kaum eine andere Möglichkeit ohne „Fliegende Händler" mit Obst- und Gartenpflanzen in den Dörfern, und die nächste Gärtnerei war meist sehr fern für die Bäuerin, der auch die Bepflanzung der Gräber und ihre Pflege oblag. So finden sich im Gegensatz zur Gegenwart noch in vergleichenden Florenlisten in der „Flora alter Bauerngärten und Friedhöfe" von SCHERZER (1922) höherwüchsige Stauden u.a., so **Akelei, Bandgras, Bartnelke, Dahlie, Goldlack, Levkoje, Feuerlilie, Weißlicher Eisenhut, Mutterkraut, Nachtviole, Brennende Liebe, Eberraute, Gartennelke, Marienglockenblume, Filziges Hornkraut, Immergrün, Maiglöckchen, Rainfarn, Phlox, Sumpfvergißmeinnicht, Jakobsleiter, Taglilie, Vexiernelke, Wolliger Ziest** und **Zinnie** neben weiteren Arten, für mehrere fränkische Friedhöfe aufgezählt.

Heute sind die Arten der Grabbepflanzung andere als die der Gärten, meistens sind es Arten aus der Gärtnerei wie **Gottesauge, Ageratum, Lobelie, Silberkraut, Fleißiges Lieschen** und **Knollenbegonie**, in der Hauptsache niedrigwüchsige einjährige Arten. Wenn auch mitten in der Großstadt Nürnberg, hat sich auf dem Friedhof St. Johannis vieles an vertrauten Arten und außerdem ein ganz eigener Zauber erhalten können.

Godehard SCHRAMM schwärmt in einem Kapitel seiner „Wandererphantasie" davon mit: „Der schönste Nürnberger Rosengarten ist für mich nicht auf der Burg, sondern der Johannisfriedhof…" und „…Starrsinnige Hartnäckigkeit, die das Individuum zu etwas Gemeinsamen nötigt, erst im anbrechenden Frühjahr erlebt man, wie schön es ist, wenn auf all den liegenden Steinen die Schalen mit **Stiefmütterchen** gefüllt sind: Voll Honigduft… Im Herbst dann der gleichmäßige Violetton der nun mit **Erika** besetzten Schalen. Und welcher Zauber, wenn die uralten, verknorpelten **Rosenstöcke** zu Häupten vieler Steine ihr Rot und Gelb ausschütten…"

Die Grabbepflanzung der Gegenwart unterscheidet sich auf dörflichen Friedhöfen kaum mehr von der der städtischen. Sie geht mit Stauden oder **Rosenbüschen** oder **-bäumchen** kaum mehr in die Höhe, sondern bleibt flach und besteht überwiegend aus niedrigwüchsigen Arten in schöner Gleichmäßigkeit. Sie deckt, wie auf dem Bild, mit **Silberkraut** (Lobularia maritima) und **Fleißigen Lieschen** (Impatiens balsamina) die Gräber flach und gleichmäßig. Farbenfroh blühende **Knollenbegonien** bilden darin meistens noch den einzigen dörflichen Aspekt.

Während die **rote Rose** als Zeichen des blühenden Lebens galt und gilt, maß man der **weißen Rose** Todesbedeutung zu. Nach MARZELL (1935) galt den Domherren einiger deutscher Dome (z. B. Hildesheim, Lübeck und Breslau) die weiße Rose als Zeichen des nahen Todes.
Die rote Rose, die Blume der katholischen Kirche, und die weiße Rose als Blume der evangelischen Konfession?
Zu gewagt, um aus der Farbe der blühenden Grabbepflanzung auf die Konfession des Begrabenen schließen zu wollen.

Das **Stiefmütterchen** mit seiner farbenfrohen Schöngesichtigkeit dient heute noch als eine beliebte Pflanze der Frühjahrsbepflanzung der Gräber, vor allem in ländlichen Gemeinden.

Rosenbäumchen als Grabbepflanzung auf dem Friedhof
St. Johannis in Nürnberg.

Die **Schwertlilie** war bis zum Anfang dieses Jahrhunderts
ebenfalls eine beliebte Pflanze als Grabschmuck.

Bauerngärten, Brauchtum und Volkskunst

Nun fast zum Schluß des vorliegenden Buches gekommen, erhofft und wünscht sich dessen Verfasser, daß es ihm halbwegs gelungen sein möge, die Bedeutung des Bauerngartens in früherer Zeit und dessen so vielseitige Facetten und Verflechtungen aufscheinend zu machen. Mit den folgenden Bildern soll dies noch einmal angedeutet werden. Der Bauerngarten war über Jahrhunderte hinweg vordergründig Nutzgarten, sehr spät und nur im begrenzten Umfang auch Garten zur Freude. Groß war die Verbindung die von ihm ausgehend viele Bereiche des täglichen Lebens im Dorf erfaßte oder berührte. Er brachte wichtige Nahrung für den Leib, er nährte aber auch die Seele. Das sehen wir an den gemalten Blumen auf Schrank, Truhe und Bett. Überallhin folgten die Blumen des Gartens der Bäuerin. Sie waren in ihrer Sonntagstracht, sie waren mit der **Rose**, dem **Rosmarin**, der **Lilie**, dem **Näglein** (Nelke), **Veilchen** und **Vergißmeinnicht** in ihrem Lied. Sie schmückten in seltenen Fällen sogar die Kirche.

Die Blumen unserer Gärten lassen zumindestens gedankliche Verbindungen zu, die weit hinaus aus dem bäuerlichen Garten und weit zurück in die Menscheitsgeschichte reichen, die uns mit der frühen abendländischen und zugleich mit der morgenländischen Vergangenheit verbinden. Die **Lilie** unserer Gärten findet sich schon im alten Äypten sowie in einer minoischen Villa in Knossos auf Kreta und im Tempel Salomos in Jerusalem dargestellt.

Die **Rose** war im Griechenland der Antike (neben **Lichtnelke** [Lychnis coronaria] und **Myrte**) Attribut der Göttin Aphrodite.

Lilie und **Rose** zusammen mit der **Iris** stehen am Anfang der kaiserlichen Güterverordnung des „Capitulare…", sie sind zusammen die Blumenattribute der Gottesmutter Maria. Die **Iris** oder **Schwertlilie** diente der Lilie im Wappen der französischen Könige als Vorwurf.

Doch der Höhepunkt der Verbindung Blumen und Kirche ist wiederum in Bamberg zu finden. Es ist ein gemalter Garten, ein Botanischer Garten, in der Benediktinerabtei St. Michael hoch über der Stadt. Bereits 1015 gebaut, wurden dort 1614 beim Wiederaufbau der ausgebrannten Kirche die Deckengewölbe mit ca. 600 Pflanzendarstellungen bemalt. Die Deckenfresken zeigen mit ihren vor allem exotischen Arten so ganz das Interesse und den Stolz an und auf Neues aus der „großen Welt".

In der Dorfkirche von Obernsees, im Landkreis Bayreuth
und zugleich im ehemaligen Fürstentum
Bayreuth-Kulmbach, sind die Säulen mit Blumen, hier mit
Zentifolien, bunt bemalt, in einer für evangelische Kirchen
ungewöhnlichen Farbigkeit und Fülle.

Rose und **Weiße Lilie** sind die Blumen Mariens seit
Jahrhunderten. Sie sind aber zugleich die Blumen der
abendländischen Menschheitsgeschichte, denn beide stehen
an erster Stelle im karolingischen Capitulare de Villis, und
schon lange vorher war die Lilie Blume der Göttin
Aphrodite im alten Griechenland ...

Blumen im Brauchtum:

Mit **Rosen** und **Lilien** zur Ehre Mariens ist der tragbare Altar bei der großen Fronleichnamsprozession in Bamberg geschmückt.

Die **blumenübersäte Tracht** der Frauen im Landkreis Forchheim zeigt, wie tief die Liebe zu den Blumen hier geht (das Bild, vor der Vexierkapelle Reifenberg aufgenommen, zeigt im Hintergrund die Ehrenbürg, das „Walberla", einen der heiligen Berge Frankens).

*Genauso ist es mit der **Tracht** der beiden jungen Frauen vor der Wehrkirche in Effeltrich anläßlich der Kräuterweihe zu Mariae Himmelfahrt. Auch die beiden Kräuterbüschel mit Heilpflanzen und Nutzpflanzen aus Garten und Flur wurden mit leuchtenden Gartenblumen verschönt.*

Sogar bei den Gebrauchsgegenständen im Haus setzte sich die Blumenliebe fort. Die Butter-model war mit einer geschnitzten Blume verziert und die Schränke und Truhen mit Blumen-motiven bunt bemalt.

Blumenmotive: **Tulpe** *und* **Nelke** *auf einem Bauernschrank aus Burggrub bei Heiligenstadt, Landkreis Bamberg.*

Tulpen als Blumenmotiv auf dem gleichen Bauernschrank von 1835 aus Heiligenstadt und eine Buttermodel aus dem gleichen Raum.

Am Erntedanktag wird in Muggendorf im Wiesenttal in der Fränkischen Schweiz das weithin bekannte **Kürbisfest** *gefeiert, bei dem mit den Erntedankgaben aus Feld und Garten vor allem auch mit Blumenmotiven verzierte Kürbisse im Festzug mitgeführt werden. So hat der aus Mittel- und Südamerika in der nachkolumbianischen Zeit eingeführte* **Kürbis** *in unserem Lande eine ähnlich hohe Bedeutung erlangt, wie er sie einst vor langer Zeit bei den Ureinwohnern seiner Heimat besaß.*

163

Garten und Blume –
Lied, Dichtung und Malerei

Im Liedgut des Volkes, im Volkslied vergangener Jahrhunderte können wir neben dem sogenannten Kunstlied mit der **Rose**, mit **Lilie, „Näglein"** (Nelke), **Violen** (Veilchen) und dem
Vergißmeinnicht den Blumen des Bauerngartens begegnen. Für die Dichtung mag von Georg
Britting (1891–1964) einem Dichter unseres Jahrhunderts mit dem folgenden, den Bauerngarten
beschreibenden Gedicht ein schönes Beispiel stehen:

> Die Sonnenblume
> Über den Gartenzaun schob
> sie ihr gelbes Löwenhaupt
> zwischen den Bohnen
> erhob sie sich,
> gold und gelb überstäubt.
> Die Sonne kreist im Blauen
> nicht größer als ihr gelbes Rad.
> Zwischen den grünen Stauden,
> den Bohnen und jungem Salat.

Dem Verlag List, Verlagshaus Goethestraße in
München, danke ich für die ausnahmsweise Abdruck-
genehmigung von Georg Brittings Gedicht.
Herrn Fritz Föttinger dafür, daß er mich darauf
aufmerksam gemacht hat sowie ihm und seiner Gattin
Ingeborg Föttinger-Galepp für die Abdruckerlaubnis
der beiden Bilder auf der folgenden Seite.

164

In der mittelalterlichen Malerei finden sich mit **Rose, Lilie** und **Akelei** u. a. auch Blumen ländlicher Gärten. In der Malerei der Moderne ist es vor allem Emil Nolde, der sich uns mit blumenreichen Bildern mit dem Thema Bauerngärten verbindet. Ein zeitgenössischer Maler in Franken, Fritz Föttinger in Obernsees im Bayreuther Land, hat sich in seinem Bilderkosmos mit Motiven des ländlichen Lebens neben Mensch, Haus, Scheune, Tier und Landschaft auch mit dem bäuerlichen Garten beschäftigt. Neben Bildern, auf denen in liebenswerter und zu Herzen gehender Weise Menschen mit Sonnenblumen in liebevoller Zuneigung zu finden sind, gibt es mit den beiden hier abgebildeten Motiven „Der Garten" und „Sonnenblume" auch Bilder vom Bauerngarten.

Ausblick

Die Entwicklung des Bauerngartens vom reinen Nutzgarten der Vergangenheit zum mit Blumen bunt durchmischten Hausgarten der Gegenwart haben wir im Vorangegangenen betrachtet. Die bunten Bauerngärten der Gegenwart sind aus der weggefallenen Notwendigkeit nur Anzuchtstätte für Acker-Jungpflanzen und bloß Nutzgarten für die Hofküche sein zu müssen, wohl innerhalb der letzten 2–300 Jahre langsam entstanden.

Augenblicklich ist die Landwirtschaft unseres Landes dabei auszubluten. Die große Bandbreite vom kleinsten Nebenerwerbsbetrieb bis zum Gutshof ist dabei sich aufzulösen, und damit verschwinden viele ökonomische und ökologische Nischen. Das sehen wir deutlich, wenn wir mit offenen Augen durch die Dörfer gehen, was in ihrem Inneren an selbstverständlicher Schönheit stirbt. Es wächst zwar an ihren Rändern an Einzelbauten oder ausgewiesenen Baugebieten scheinbar Substanz nach, doch was nachkommt ist i.d.R. nicht mit den Verlusten zu vergleichen, es ist pflegeleicht und nivelliert. Der bisher vorhandene Reichtum an Lebensqualität, durch die Vielfalt der Besitzstrukturen entstanden, ist im Vergehen. Um überlebensfähig zu bleiben werden die wenigen verbleibenden Landwirte große Flächen auf wenigen Höfen bewirtschaften müssen. Zu groß wird der Einsatz an Zeit und Kraft sein müssen der von wenigen zu erbringen sein wird. An dieser Entwicklung ist der Bauer selbst völlig unschuldig. Wir haben vorher schon kleine Brauereien und die letzten Läden auf den Dörfern sterben sehen, und genauso ihre Wirtshäuser. Nun scheint die letztendliche Veränderung unserer dörflichen Welt in die Endphase zu gehen und mit ihr sterben ihre alten Gärten. In dieser Generation wird über das künftige Gesicht der Landwirtschaft, der Dörfer und unserer alten Kulturlandschaft überhaupt entschieden.

Bisher haben sich die Kreisfachberater für Gartenbau und Landespflege der Landkreise für die Erhaltung und das Aussehen der ländlichen Gärten sehr engagiert, und so ist in manchem Landkreis sogar eine ganz bestimmte Handschrift bei der Gestaltung der Hausgärten zu erkennen.

Dorferneuerung und der Wettbewerb „Unser Dorf soll schöner werden" haben im Laufe der letzten drei Jahre ihre Zielrichtung geändert und geben heute viele Anstöße zur Förderung dörflicher Gartenkultur. Das Wichtigste bleibt jedoch auch hier noch das private Interesse und die Eigeninitiative der Frauen in den Dörfern. Dem wird auch durch intensive Bürgerbeteiligung bei der Dorferneuerung entgegengekommen. So gibt es heute Dörfer und Gemeinden, die sich für den Wettbewerb „Unser Dorf soll schöner werden" regelrecht herausputzen. Dabei wird sicher auch manchmal etwas übertrieben, z. B. wenn Hof und Scheuneneinfahrt mit Blumentrögen verstellt werden. Wichtig jedoch ist daran die Weckung und Förderung von Interesse für die Erhaltung guter Traditionen und dörflichen Gemeinschaftssinns. Bewertungsinhalte sind bei diesem Wettbewerb neben der Gestaltung und Pflege des Ortscharakters, von Bau- und Grüngestaltung, auch die Gestaltung und Pflege von Vorgärten und Wirtschaftsgärten sowie Grüngestaltung und Maßnahmen zur Einbindung und Gestaltung des ganzen Ortes.

Eine großzügige, aber leider leere Fassung eines Vorgartens in Rothenhof bei Sesslach, wie ein Ring ohne Schmuckstein.

Bei einem solch ungewohnten, fast märchenhaften Anblick weiß der Franke sofort, „woher der Wind weht".
Der Wettbewerb „Unser Dorf soll schöner werden" und dörflicher Gemeinschaftssinn haben dieses rosenberankte
Wartehäuschen initiiert und geschaffen.

Den berechtigten Stolz der Dorfbewohner bringt der Stein mit dem Siegeremblem am Ortseingang von Weickenreuth im Landkreis Hof zum Ausdruck.

Der Verlust an bäuerlicher Kultur trifft nicht nur die ländlichen Gärten, sondern mit ihnen auch die Höfe und das Land drumherum. Auf dem Bild ist es die sterbende Idylle – einst eine kleine bäuerliche Existenz – ein Einfirsthof bei Oberwarmensteinach im Fichtelgebirge. Vom gleichen Schicksal sind auch größere Häuser und Höfe im Land betroffen. Der Bauernhof folgt dem Dorfwirtshaus – ein europaweiter Prozeß. Die Produktion von Nahrungsmitteln jahretausendelang das wichtigste, weil überlebenswichtigste Gewerbe, dient heute nicht mehr dem Überleben, sondern vielfach der Vernichtung landwirtschaftlicher Erzeugnisse.

Über die positive Wirkung innerhalb der einzelnen Orte, die sich am Wettbewerb beteiligen, entsteht auch eine Breitenwirkung, die große Kreise zu ziehen vermag. Das ist in unserer Zeit sehr wichtig, denn die Beispielswirkung stiller Arbeit besitzt in unseren Tagen keine große Kraft mehr. So soll an dieser Stelle auch das beispielhafte Engagement vieler örtlicher Gartenbauvereine, z. B. auch mit der Abhaltung von Pflanzenbörsen und -märkten, erwähnt werden. Dort wird im größeren Stil nachgeahmt, was früher wesentliches Element vielfältiger, lebendiger Bauerngärten war – der Tausch.

Wesentliches Element ländlicher Gärten: Der Tausch

Ein bemerkenswertes Phänomen ist weiter auch das große Interesse breiter Bevölkerungskreise für einen naturnahen bunten Garten, den Bauerngarten, das in den letzten Jahren entstanden ist. So entstehen in der Gegenwart auch ständig wieder neue „alte Bauerngärten" in den Dörfern durch dort lebende Nichtlandwirte. Künstler, Denkmalpfleger oder die Frau des Forstamtsleiters, des Arztes u. a. werden so zu Schöpfern des neuen „Bauerngartens", angefüllt mit alten Elementen und häufig von großer Beispielswirkung gefolgt. So soll denn zum Schluß unseres Exkurses durch das Reich fränkischer Bauerngärten nicht die Klage stehen, nicht das Bild SCHERZER'S „Nachmittag im Bauerngarten" wie ein letzter Abgesang, sondern der in ein häßliches Wartehäuschen aus Beton von Kindern gemalte bunte Blumengarten.

Eines der gewohnt scheußlichen Buswartehäuschen in den Dörfern will uns zeigen, daß noch nicht alles verloren ist, solange Kinder statt der dort üblichen Unflätigkeiten eine Wiese oder einen Blumengarten zu malen verstehen.

Ein Dorf hat sich für den Wettbewerb „Unser Dorf soll schöner werden" herausgeputzt. Während man bei diesem Schlagwort noch vor wenigen Jahren Angst bekam vor übertriebener Aufräummentalität und Sauberkeit, vor noch mehr Asphalt und Beton in den Dörfern, hat sich das alles ins Gegenteil verkehrt. Es werden Bäume erhalten und neue gepflanzt, Brunnen dürfen wieder sprudeln oder entstehen neu, Blumen blühen an Wartehäuschen und Kletterpflanzen erobern häßliche Futtersilos. Wieder erwachter dörflicher Gemeinschaftssinn verwandelt Vor- und Hausgärten in farbige Blumenorgien.

172

Der neugeschaffene Vorgarten eines ländlichen Gartenparadieses (1986) in Untergreuth im Landkreis Bamberg. Hier waren zwei Frauen mit liebender Hand am Werk (Frau Hanna Reim und Frau Mia Stromer).

Ein zauberhaftes Beispiel neu entstehender ländlicher Gärten in den Dörfern. In diesem Fall ist es ausnahmsweise keine Frau die sich dieses Paradies schuf, sondern es ist der Kunsthistoriker und Denkmalpfleger Dr. Karl-Heinz Betz (Zettelsdorfer Mühle bei Walsdorf im Landkreis Bamberg).

*Das Fachwerkhaus als Schmuckkästchen restauriert – und trotzdem noch mit einem **Weinstock** an der Giebelfassade, der Sockel des Hauses aus dem Eisensandstein der Umgebung, ein den Vor- und Hausgarten umgebender Holzzaun, benachbart ein **Nußbaum** – wer möchte so einen Besitz nicht sein Eigen nennen? (Mistendorf im Landkreis Bamberg.)*

174

Die ehemalige Dorfmitte von Mistendorf im Landkreis Bamberg. Der „Lindenplatz" ist ein seltenes Beispiel für noch erhaltenen Gemeinschaftssinn, für das mögliche Nebeneinander von Haus und Garten, von Gartenkultur und Denkmalpflege sogar mit nichtbäuerlichen Hauseigentümern.

175

Dank

Zu danken habe ich zuerst dem bereits eingangs genannten Verfasser des Vorwortes und Freund, Herrn Dr. Peter Titze in Erlangen, für sein Vorwort sowie die Durchsicht des Manuskriptes und vor allem für die von ihm ausgegangene Begeisterung für das Thema dieses Buches. Ich habe bei meiner Arbeit dafür draußen in den Dörfern bei meinen Gartenbesuchen und den Gesprächen mit den Bäuerinnen viel Freude empfangen.

Danken möchte ich auch Herrn Dr. habil. Heinz-Dieter Krausch in Potsdam und meinem Freund Georg Prechtl, Bayreuth, für freundschaftliche Hilfen bei der Literaturbeschaffung. Weiter habe ich hier ungenannten Freunden für vielfältige Handreichungen zu danken, tut man doch selten etwas völlig allein; und dann vor allem den Bäuerinnen und Frauen die mir ihre Gärten gezeigt haben und mich an ihrem Wissen und ihrer Gartenliebe haben teilnehmen lassen. Zwei davon seien hier stellvertretend für viele genannt, und ihre Nennung ist zugleich ein weiterer schmerzlicher Beweis für die Vergänglichkeit des in diesem Buch dargestellten Themas. Frau Herbst in Gasseldorf in der Mühle an der Leinleiter zwischen Hummerstein und Wiesent besaß einen Garten mit wirklichem Reliktcharakter. So fanden sich dort Arten ohne offensichtlichen Wert, wie das unscheinbare Acker-Löwenmaul, die Pflanzen „Dorant" und „Orant". Ohne Scheu hat sie viele Studenten mit ihren Lehrern von der Universität Erlangen und andere wißbegierige Besucher durch ihren bescheidenen Garten geführt.

Als zweite Gartenbesitzerin sei dankend erwähnt Frau Fichtel in Mistelgau, bei der man an Sommerabenden so schön auf der Bank vor ihrem bescheidenen Haus beschaulich und plaudernd sitzen konnte, inmitten ihres kleinen Vorgarten-Reiches mit Bandgras, Taglilien und Zentifolien. Ihre seltene goldene Strauchrose und das Zentifoliendickicht sind verschwunden, ihr Haus mittlerweile auch. Gütige Frauen von bescheidener Weisheit waren es, die die schönen alten Gärten geschaffen und erhalten haben.

Ganz besonders zu danken habe ich dem Verleger dieses Buches, Herrn Karlheinz Hoermann und seiner Familie, den Mitarbeitern seines Hauses, und da insbesondere Herrn Klaus Schiller als dem Geschäftsführer des Verlages und vor allem Herrn Helmut Reichenberger, der dieses Buch gestaltet hat. Verleger und Verlag Hoermann haben viel mit dem Thema des Buches gemeinsam, denn auch ihnen geht es nicht nur um das Wort für den Augenblick oder für den nächsten Tag, sondern alles zusammen ist wie beim „Bauerngarten" eine wohltuende Insel in einer immer unwirtlicheren Welt um uns her. Das Verlagsprogramm des Hauses Hoermann zeigt genugsam die ungewöhnliche Zuwendung für das Gewachsene und Solide, es ist wie eine kleine Kulturlandschaft des geschriebenen Wortes.

Ein Beispiel für viele:
Frau Fichtel aus Mistelgau.

Anhang: Ein eigener – ein neuer Bauerngarten

Je weiter wir uns von der Idylle oder von dem was wir dafür halten entfernen, desto größer wird unsere Sehnsucht zurück. Nur läßt sich, was aus Arbeit und Not geworden uns als Idylle erscheinend, nicht ohne weiteres in die Stadt und in die Gegenwart transportieren. Andererseits ist Mühe selten umsonst und so sollen nachfolgend noch ein paar Gedanken zu diesem Thema stehen. Wobei es auch nicht möglich ist einen Bauerngarten beliebig zu schaffen, denn ein echter Bauerngarten ist eben wirklich der Garten, der zum Bauernhof gehört und meistens in der Betreuung einer Bauersfrau steht. Der Bauerngarten kann deshalb zwangläufig nur zu einem Dorf gehören. Zu einem Dorf, wie es die nachfolgende Zeichnung zeigt.

Gebäude – Bausteine des Dorfes

Die Grundbausteine einer jeden Siedlung sind die Häuser.
In unseren Dörfern bildet der **landwirtschaftliche Hof (1)** mit seinen Gebäuden, dem Wohnhaus **(2)** und den unterschiedlichen Wirtschaftsgebäuden **(3)** gewissermaßen die bauliche Grundeinheit.
Dazu kommen wichtige Einzelgebäude:
Die **Dorfkirche (4)** prägt jedes Ortsbild schon von weitem. Meist sind auch ein dominanter Pfarrhof, eine Schule und nicht selten ein Wirtshaus zu finden. Kleingebäude, wie z.B. alte Backhäuschen, Kapellen **(5)**, das Feuerwehrhaus mit Turm, Stadel, Kleintierställe u.ä., ergänzen die Bausubstanz. Je nach Stellung und Anordnung der einzelnen Höfe unterscheiden wir **Straßen- und Reihendörfer, Haufendörfer und Angerdörfer.**
Das Dorf mit seinen Gebäuden und den dazugehörigen **freien Flächen**, wie Straßen **(6)** und Plätzen, Gärten **(7)** und Obstwiesen **(8)**, stellt einen vielfältigen Lebensraum dar – nicht nur für uns Menschen, unsere Nutzpflanzen und Haustiere.
Auch **eine Vielzahl von Wildpflanzen und Wildtieren** findet hier Lebensräume, Nahrung und Unterschlupfmöglichkeiten.

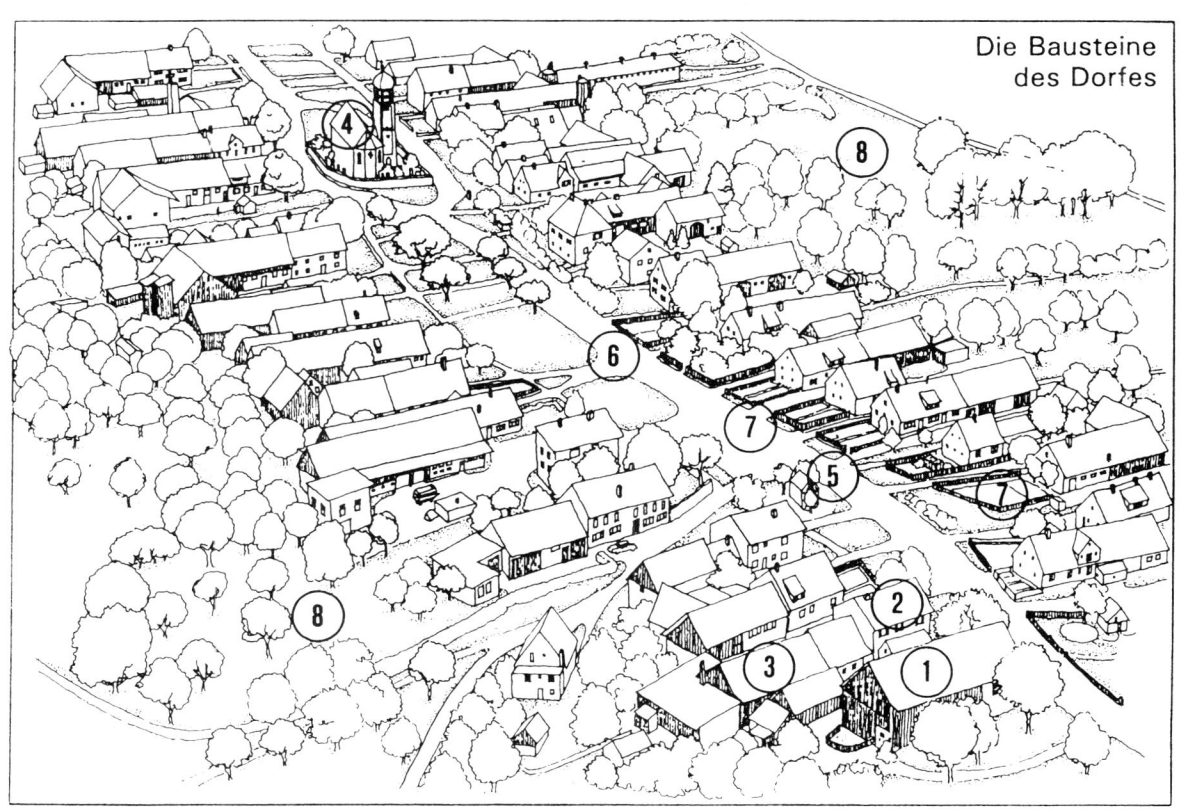

Die Bausteine
des Dorfes

Den Ruhm des Dorflebens in der Zeit vor weit über 200 Jahren lassen wir uns von Jean Paul, dem größten Dichter Frankens, singen:

> Lasse sich doch kein Dichter in einer Hauptstadt gebären und erziehen, sondern womöglich in einem Dorfe, höchstens in einem Städtchen. Die Überfülle und die Überreize einer großen Stadt sind für die erregbare schwache Kindseele ein Essen an einem Nachtisch und Trinken gebrannter Wasser und Baden in Glühwein. Das Leben erschöpft sich an ihm in der Knabenzeit und er hat nun nach dem Größten nichts mehr zu wünschen als höchstens das Kleinere, die Dorfschaften. Man gewinnt und errät aber nicht so viel, wenn man aus der Stadt ins Dorf kommt als umgekehrt aus Joditz nach Hof. Denk' ich vollends an das Wichtigste für den Dichter, an das Lieben: so muß er in der Stadt um den warmen Erdgürtel seiner elterlichen Freunde und Bekanntschaften die größeren kalten Wende- und Eis-Zonen der ungeliebten Menschen ziehen, welche ihm unbekannt begegnen und für die er sich so wenig liebend entflammen oder erwärmen kann als ein Schiffvolk, das vor einem anderen fremden Schiffvolk begegnend vorübersegelt. Aber im Dorfe liebt man das ganze Dorf und kein Säugling wird da begraben, ohne daß jeder dessen Namen und Krankheit und Trauer weiß; Joditzer haben sich alle ineinander hineingewohnt und hineingewöhnt; – und dieses herrliche Teilnehmen an jedem, der ein Mensch, welches daher sogar auf den Fremden und den Bettler überzieht, brütet eine verdichtete Menschenliebe aus und die rechte Schlagkraft des Herzens. – Und dann, wenn der Dichter aus seinem Dorfe wandert, bringt er jedem, der ihm begegnet, ein Stückchen Herz mit und er muß weit reisen, eh er endlich damit auf den Straßen und Gassen das ganze Herz ausgegeben hat.
>
> Aus: Selberlebensbeschreibung, Zweite Vorlesung (welche den Zeitraum von 1765 bis 1775 umfaßt), Joditz – Dorfidyllen

Der bunte staudenreiche Hausgarten in Rothenburg o.d.Tauber zeigt uns ganz deutlich, daß der Typ des sogenannten „Bauerngarten" in Franken nicht nur auf Bauernhof und Dorf beschränkt sein muß.

Ein mit Säulen-Eiben bepflanzter Vorgarten – und die Blaufichten in einem anderen – zeigen uns deutlich, wie fremd, ja verfremdend und verdüsternd Koniferen im Dorf wirken.

Nicht anders ist es mit der Reihe von Zuckerhutfichten in einem weiteren Vorgarten. Sie machen mit ihrer abweisenden Front hinter bunten Blumen das neue Haus im Dorf regelrecht zur Festung, die man gar nicht betreten möchte.

Anlegen eines „neuen Bauerngarten"

Wenngleich der echte Bauerngarten an bestimmte Voraussetzungen – Dorf, bäuerlicher Nutzgarten – gebunden ist, so läßt sich der Charakter des bäuerlichen Gartens doch gut nachahmen. Sofern also jemand über das Interesse und den notwendigen Platz für die Anlage eines Gartens verfügt, der den bäuerlichen Gärten nachgebildet sein soll, dem konnten die im vorangegangenen Buchteil gemachten Ausführungen wohl eine ausreichende Einführung und Anregung dazu sein.

Das wichtigste für eine solche Anlage, die **Lage,** wird sich kaum beeinflussen lassen, sondern i.d.R. feststehen, falls dies doch der Fall sein sollte, ist natürlich eine sonnige Lage zu bevorzugen.

Die **Einzäunung** sollte stilgerecht ein Staketenzaun aus ganzen, halbierten oder sogar gesäumten Staketen oder Latten sein, je nach Geschmack und Möglichkeit. Für die Gartensäulen können sowohl Holz- wie auch Steinsäulen verwendet werden. Geeignete Hölzer hierfür wären Eiche oder Robinie. Ideal wäre es, für den Zaun steinerne Säulen, d.h. alte Gartensäulen, zu verwenden, allerdings nur von dort wo sie im dörflichen Umfeld wirklich nicht mehr gebraucht werden. Die **Einteilung** des Gartens kann je nach Größe der zur Verfügung stehenden Fläche mit oder ohne Mittelweg sein, schön sind jedoch am Gartenzaun entlanglaufende schmale Beete für Sträucher und Stauden. Die **Wege** sollten unbefestigte Erdwege sein, die **Beeteinteilung** kann man im lockeren Boden mit Brettern machen oder durch das Abtreten entlang einer ausgespannten Schnur, die man zwischen beide Füße nimmt und fersenbetont an ihr entlangtritt, bis ein schmaler Weg entsteht.

Die **Erde** für den neuen Garten sollte ein guter nährstoffreicher Humus sein, der alljährlich durch Naturdünger, wenn möglich Mist, angereichert wird.

Die Ausstattung: Wird der neue Garten nicht aus der Notwendigkeit zur Erzeugung von Nahrungsmitteln angelegt – und wo müßte das heute noch geschehen? – kann er natürlich reichlich Ziersträucher enthalten. Dem Gemüse- und Salatbeet, also dem eigentlichen Nutzgarten, wird man den Mittelteil des Gartens einräumen. Pflanzen dafür holt man sich bei einem Gartenbaubetrieb oder auf dem Wochenmarkt in beliebiger Art und Menge. Selbst Jungpflanzen dafür anzuziehen ist recht aufwendig, lohnt sich eigentlich nicht mehr und würde außerdem ein Frühbeet erfordern.

Den **Blumenteil** wird man mit Blütenstauden bepflanzen. Das vorangegangene Kapitel „das Blumenjahr..." dürfte die Auswahl erleichtern. Günstig und zweckvoll wäre es, könnte man sich dafür Pflanzmaterial von Bauersfrauen aus ländlichen Gärten sichern. Damit würde man einmal das alte System des Tausches praktizieren und weiter würde es der Sicherung alter Pflanzensorten und -züchtungen, d.h. des Arteninventars ländlicher Gärten dienen. Einige sich-selbst-aussamende Arten wie Ringelblume, einfache Akelei-Sorten, Boretsch u.a., sät man in kleiner Menge aus, um später die Arten ohne weiteren Aufwand im Garten alljährlich wiederzufinden. Sommerblumen wie Löwenmaul, Cosmee, Aster und Zinnie kauft man am besten wieder beim Gärtner, auf dem Wochenmarkt oder einer Pflanzenbörse des örtlichen Gartenbauvereins. Von den Gartenbauvereinen veranstaltete Pflanzenbörsen oder -märkte sind außerdem wichtig für das Gespräch und den Gedankenaustausch, sie machen bei der gleichzeitigen Beratung duch Gartenpraktiker doppelt Freude. Außerdem ist dies die Fortführung einer zu einem bunten Garten führenden alten Verhaltensweise. Ein eigener **Brunnen** muß nicht sein, ebenso wie eine Buchs-**Beeteinfassung**. Fehlen sollte der **Komposthaufen** nicht, in einer Ecke des Gartens, z.B. unter dem Holunderstrauch, ist sicher ein Platz für ihn zu finden.

Übrigens ist der Umfang des vorliegenden Buches zu gering und Garten-Anleitungen sind so häufig angeboten, als daß man sich an dieser Stelle ins Detail verlieren müßte. Die nachfolgende Grafik ist ebenso wie das idealisierte Dorfbild der Broschüre „Unsere Heimat: Dorf und Landschaft" entnommen, die als Unterrichtsmaterialien zur ländlichen Entwicklung vom Bayerischen Staatsministerium für Ernährung, Landwirtschaft und Forsten zusammen mit der Akademie für Lehrerfortbildung als Akademiebericht Nr. 236 (1993) herausgegeben wurden. Die Zeichnung eines Bauerngartens ist ein Vorschlag für die mögliche Gestaltung eines „neuen Bauerngarten".

*Heimische **Königskerze, Sonnenauge** aus Mexiko und **Margerite** aus den Pyrenäen, gezügeltes und bewußtes Durcheinander, beherrscht von der **Sonnenblume** aus der Neuen Welt in einem „neuen Bauerngarten" (siehe auch Bild Seite 184 mit dem heiteren Blühaspekt des Sommer-Rittersporn) von Frau Edda Sperber in Neudorf bei Ebrach.*

Praktische Beispiele finden sich dafür in folgenden Gärten: Bauernmuseum Landkreis Bamberg in Frensdorf, Gärtner- und Häcker-Museum Bamberg, Kräuterlehrgarten Elbersroth bei Herieden im Landkreis Ansbach. Für die Abdruckerlaubnis der beiden Grafiken „Dorf" und „Bauerngarten" mit Text danke ich dem Bayerischen Staatsministerium für Ernährung, Landwirtschaft und Forsten in München. Beratung zu Gartengestaltung und -pflege erteilen auf Anfrage sicher auch: Die Kreisfachberater für Gartenkultur und Landespflege an den zuständigen Landratsämtern sowie das Sachgebiet Gartenbau der Bezirksregierungen, so für Oberfranken Galgenfuhr 21, 96050 Bamberg, sowie jeweils das Sachgebiet Gartenbau der Regierung von Mittelfranken in Ansbach und der Regierung von Unterfranken in Würzburg.

Zur Pflanzenbetrachtung und zum Kennenlernen der verwendbaren Arten werden folgende Einrichtungen empfohlen: Botanischer Garten der Universität Erlangen-Nürnberg (mit Aroma-Garten) in Erlangen; Botanischer Garten Hof (mit einem sehr guten Kräutergarten); Botanischer Garten der Universität Würzburg (mit Kräutergarten); Kräutergarten der Schloß-Apotheke Weidemann in 96523 Untersiemau im Landkreis Coburg; Fränkisches Freilandmuseum 91438 Bad Windsheim, Eisweiherweg 1 (Tel. 09841/66800); Bauernmuseum Landkreis Bamberg, 96158 Frensdorf, Hauptstraße 5 (Tel. 09502/8308); Bauernhof-Museum Kleinlosnitz, 95239 Zell; Gärtner- und Häckermuseum, 96052 Bamberg, Mittelstraße 34; „Pfarrgarten" Schmölz, Landkreis Kronach des Gartenbauvereins Schmölz.

An dieser Stelle ist spätestens der Bayerische Landesverband für Gartenbau und Landespflege zu erwähnen. Von dessen Ortsgruppen geht sehr viel Anregung für den Bereich der ländlichen Gärten aus. Einmal durch die Pflege von Gemeinsinn und theoretische wie praktische Anregungen zur Gartengestaltung und -pflege und zum Anderen durch Merkblätter zum Thema. Bei der Landesgartenschau 1994 in Hof war ein vom Landesverband für Gartenbau gestalteter „oberfränkischer Hausgarten" zu sehen, in dem in sehr guter Gestaltung die wesentlichen Elemente ländlicher Gärten zu finden waren.

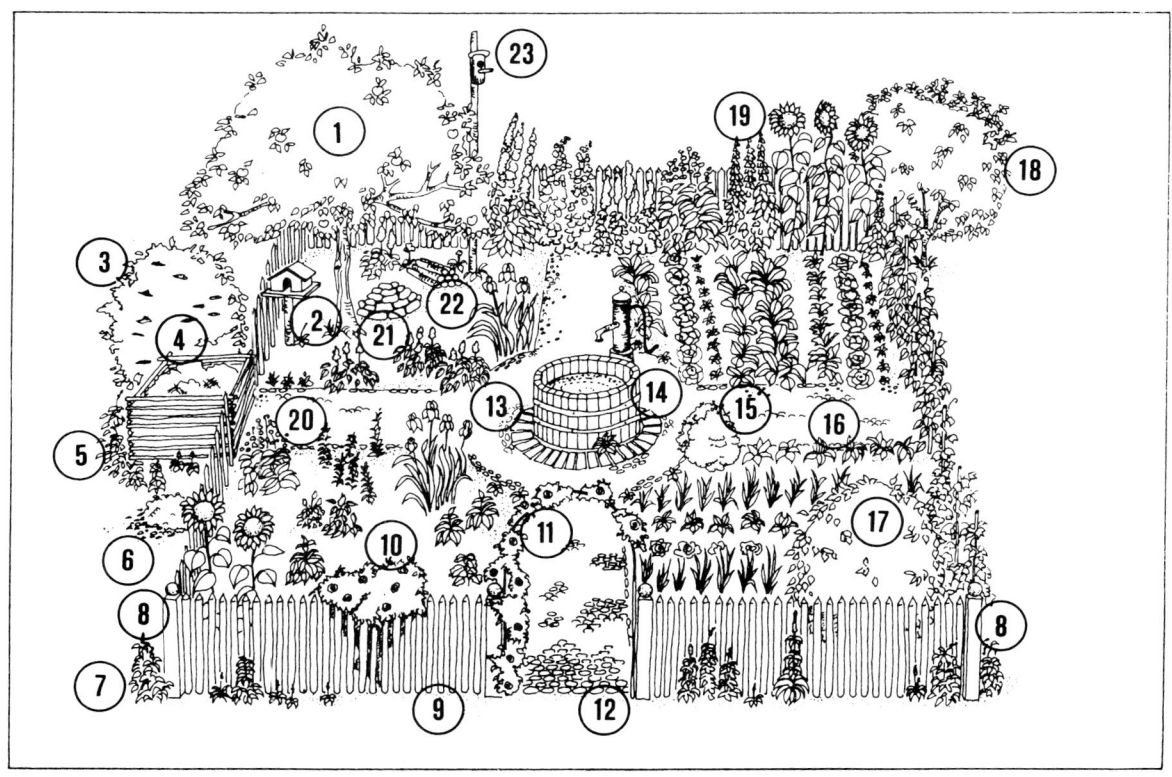

Lebensraum Bauerngarten

Ein „idealtypischer" Bauerngarten könnte beispielsweise so aussehen:
Apfelhalbstamm (1), Vogelhäuschen (2), Holunder (3), Komposthaufen (4), Brennesselflur (5), Laubhaufen (6), Wildkrautflora (7), Zaun aus Natursteinsäulen (8) und ungeschälten Halbhölzern (9), Bauernrose (10), wie z.B. die Zentifolie (Rosa centifolia), Rosenbogen (11), Wege mit Bachkieselpflaster (12), gebrauchte Ziegel (13), Schöpfbecken (14) bei der Wasserpumpe, Buchsbaum (15), Gemüse in Mischkultur (16), Flieder (17), Quitte (18), Sommerblumen und Blütenstauden (19), Küchen- und Heilkräuter (20), Haufen aus ausgelesenen Steinen (21), Äste und Schnittabfall (22), Nistkasten (23).

Literatur

Axtelmeier, S.R.
1705 Der nutzbaren Gewächse Sinnsprüche und Sinnbilder. Augsburg.

Bedal, H./Distler, H.-G.
1990 Kleine Geschichte des Hausgartens und seiner Nutzpflanzen. Bad Windsheim.

Bedal, K.
1977 Haus und Hof in Fichtelgebirge und Frankenwald. Hof.

Bedal, K.
1985 Häuser aus Franken. Bad Windsheim.

Conze, F.-C.
1961– Der bäuerliche Blumengarten im Landkreis Coburg. – Die Scholle, Beilage zur Neuen Presse Coburg, Sonderdruck.

Engel, F.M.
1990 Das große Blumengarten-Handbuch. München.

Engelbrecht, J.
1993 Blumen aus dem Bauerngarten. München.

Ellrodt, T.C./Koelle J.L.C.
1798 Flora des Fürstenthumes Bayreuth. Bayreuth.

Fischer-Benzon, R. von
1894 Altdeutsche Gartenflora. Kiel.

Furlenmeier, M.
1983 Wunderwelt der Heilpflanzen. Eltville.

Grigson, G.
1978 Aphrodite. Herrsching.

Haindl, E.-W./Landzettel
1991– Heimat – ein Ort irgendwo? München.

Händel, F.-A./Hermann
1988–1991– Das Hausbuch des Apothekers Michael Walpurger, Band I, II, III und IV. Ber. d. Nordoberfränk. Ver. f. Natur-, Geschichts- und Landeskunde Hof **33, 34, 35** und **36**. Hof.

Hanisch, K.-H.
1973 Rosen. Stuttgart.

Hauser, A.
1976 Bauerngärten der Schweiz. Zürich.

Hay, R./Synge P.M.
1979 Das große Blumenbuch. 4. Auflage. Stuttgart.

Hennebo, D.
1987 Gärten des Mittelalters. München.

Hügin, D.
1991– Hausgärten zwischen Feldberg und Kaiserstuhl. Karlsruhe.

Kerner, A.
1855 Die Flora der Bauerngärten in Deutschland. Wien.

Krausch, H.-D.
1992 Alte Nutz- und Zierpflanzen in der Niederlausitz. Berlin.
1993 Bauerngärten in der Uckermark. In: Schwedter Jahresblätter Heft **14**: 5–15. Schwedt.

Lohmeyer, W.
1983 Liste der schon vor 1900 in Bauerngärten der Gebiete beiderseits des Mittel- und südlichen Nie-

derrheins kultivierten Pflanzen. Stiftung z. Schutze gefährd. Pflanzen, Schriftenreihe Heft 3. Bonn.

Magel, H.
1993 Vom Reichtum des Lebens – ein Aufruf zur Gestaltung der Heimat mit Herz und Verstand. – Schönere Heimat, Sonderheft 9. München.

Neubig, H.
1913 Die Flora des oberfränkischen Bauerngartens. In: Heimatbilder aus Oberfranken. München.

Nickig, M.-F./Wagner
1989 Bauerngärten. Hamburg.

Nissen, G.
1989 Bauerngärten in Schleswig-Holstein. Heide.

Nissen, G.
1992 Alte Rosen. Heide.

Nöhbauer, H.
1983 Die Parks und Gärten in Bayern. München.

Marzell, H.
1925 Bayerische Volksbotanik. Nürnberg.

Marzell, H.
1935 Volksbotanik. Berlin.

Oberdorfer, E.
1983 Pflanzensoziologische Exkursionsflora, Stuttgart. 5. Auflage. Stuttgart.

Schauer, G.
1962 Rosen und Tulipan. München.

Scherzer, H.
1922 Die Flora alter Bauerngärten und Friedhöfe. Nürnberg.

Schramm, G.
1988 Wandererphantasie. Hof.

Schwarz, A.F.
1897–1912 Phanerogamen und Gefäßkryptogamen-Flora der Umgebung von Nürnberg-Erlangen. Nürnberg.

Schöpf, H.
1992 Zauberkräuter. Wiesbaden.

Star, W.
1993 Pflanzen uckermärkischer Bauerngärten. – Schwedter Jahresblätter Heft 14. Schwedt.

Tergit, G.
1981– Kleine Geschichte der Blume. Frankfurt.

Titze, P.
1980 Einführung in den Kräuterlehrgarten Elbersroth im Landkreis Ansbach. Hrsg. v. d. Flurbereinigungsdirektion Ansbach.

Titze, P.
1980 Der Bauerngarten. Dia-Serie mit Textheft und Merkblatt. – Bayer. Landesverband für Gartenbau u. Landschaftspflege. München.

Titze, P.
1981– Erfassung des Pflanzenbestandes (Kultur- und Ruderalflora) im Umfeld zweier dörflicher Gebäude in Seubersdorf und Unterschlauersbach und einigen Nachbardörfern für das Fränkische Freilandmuseum. – Im Auftrag der Regierung von Mittelfranken in Ansbach. 11 Seiten, 2 Kartierungen, 4 florist.-pflanzensoziol. Tabellen, 13 Fotos. Erlangen-Bad Windsheim.

Titze, P.
1983 Das Pflanzenkleid der Markgemeinde Wiesenttal in der Fränkischen Schweiz. S. 236–242: Kulturpflanzen, Bauerngärten, Brauchtum, dörfliche Ruderalvegetation. In: Die Fränkische Schweiz, Landschaft und Kultur, Band 1. Hrsg. Arbeitskreis Heimatkunde im FSV Ebermannstadt und Erlangen.

Titze, P.
1983 Das Pflanzenkleid des Dorfes – seine Gärten. In: Akademie für Naturschutz u. Landschaftspflege (Hrsg.): „Dorfökologie", Laufener Seminarbeiträge 1/83.

Titze, P.
1984   Das Pflanzenkleid des Dorfes – seine Gärten. In: Akademie für Naturschutz u. Landschaftspflege (Hrsg.): „Dorfökologie", Laufener Seminarbeiträge 1/84.

Titze, P.
1986   Die Erschließung des Pflanzenbestandes der Bauerngärten und der Gartenkultur in früherer Zeit im kritischen Rückblick und Dokumentation ihrer Flora heute. In: Stiftung z. Schutze gefährd. Pflanzen, Schriftenreihe Heft 4. Bonn.

Titze, P.
1992   Das Pflanzenkleid von Erlangen-Kosbach und Umgebung. In: Kosbach – ein Heimatbuch. Erlangen.

Unterweger, W.-D. u. U.
1984   Schöne alte Bauerngärten. Würzburg.

Walter, E.
1984   Zur Verbreitung des Echten Alant (Inula helenium L.) in Oberfranken. – Ber. Naturforsch. Ges. Bamberg **58**: 9–21.

Walter, E.
1992   „Neubürger" und „Gäste" der Flora Oberfrankens. Heimatbeilage z. Amtl. Schulanz. d. Regierungsbez. Oberfranken Nr. 186, 78 S. Bayreuth.

Walter, E.
1992   Zur Ausbreitung der Knollen-Sonnenblume oder Topinambur (Helianthus tuberosus L.) in Oberfranken. – Der Naturforsch. Ges. Bamberg **67**: 37–57. Bamberg.

Walter, E.
1993   Alte Bauerngärten in Oberfranken. – Heimatbeilage des Reg.-Bez. Oberfranken **198**: 40 S. Bayreuth.

Walter, E.
1993   Bauerngärten der Gegenwart. – Heimatbeilage des Reg.-Bez. Oberfranken **201**: 44 S. Bayreuth.

Walter, E.
1994   Kraut und Rubn. – Heimatbeilage des Reg.-Bez. Oberfranken **209**: 48 Seiten. Bayreuth.

Walter, E.
1994   Bauerngärten in Oberfranken. – Heimatbeilage des Reg.-Bez. Oberfranken **209 a**: 12 S. Bayreuth.

Widmayr, C.
1984   Alte Bauerngärten neu entdeckt. München.

Wein, K.
1914   Deutschlands Gartenpflanzen um die Mitte des 16. Jahrhunderts. Dresden.

Wegener, H.
?   Vom deutschen Bauerngarten. Leipzig.

Wirsing, M.
1994   Der erste feldmäßige Kartoffelanbau in Deutschland (1647 in Pilgramsreuth/Oberfranken). – Heimatbeilage z. Amtl. Schulanzeiger d. Reg.-Bez. Oberfranken Nr. 210, 36 S. Bayreuth.

Woesnner, D.
1966   Der Bauerngarten. – Neujahrsblatt d. Naturforsch. Gesell. Schaffhausen Nr. 18.

Zacharias, I.
1982   Die Sprache der Blumen. Rosenheim.

Zohary, M.
1983   Pflanzen der Bibel. Stuttgart.

194

195

Aus der Feder des Autoren Erich Walter stammen folgende Bücher aus dem Hoermann Verlag Hof, die sich mit der Flora Oberfrankens befassen.

Ebenfalls im Hoermann Verlag erschien das Buch „Haus + Hof in Fichtelgebirge und Frankenwald" von Karl Bedal, das sich mit der Geschichte und Gestaltung der Bauernhäuser und ihrer Architektur befaßt.

Das Buch erläutert den Bestand an Wildpflanzen im Fichtelgebirge und Stein-
wald – einer geologisch vielfältigen und klimatisch besonders geprägten Landschaft im Nordosten Bayerns. Es beschreibt gleichzeitig in interessanter und
lehrreicher Form die verschiedenen Lebensräume, in denen diese Wildpflanzen
wachsen und weist auf mögliche oder bestehende Gefährdungen hin.

Mit gekonnten und einprägsamen Federzeichnungen und Farbbildern werden
Wildpflanzen aus dem nördlichen Teil Oberfrankens vorgestellt. Es ist kein
Buch der Raritäten, die der Laie kaum zu erkennen und deren Standorte er erst
recht nicht zu finden vermag, sondern es sind Wildpflanzen, die jeder der Natur
aufgeschlossene Wanderer und Spaziergänger sehen kann oder schon gesehen
hat. Deshalb wird man schon beim ersten Durchblättern des Buches die eine
oder andere bekannte Pflanze finden. Dies macht neugierig, beim nächsten
Spaziergang intensiver Ausschau zu halten. Damit regt das Buch an, die Augen
zu öffnen und die Schönheiten der Natur aufzunehmen.

Die erste größere Zusammenstellung und Übersicht zur Flora der „Fränkischen Schweiz", die bis jetzt erschienen ist. Zugleich ist damit der dritte größere Naturraum Oberfrankens mit seiner Flora beschrieben. Für den Wanderer, den Naturfreund und Laien, der all die vielen Pflanzenarten kennenlernen möchte.

Unser wunderschönes Oberfranken wird vor allem von drei Naturräumen bestimmt: dem Fichtelgebirge, dem Frankenwald und der Fränkischen Schweiz. Dazu fügen sich harmonisch ein das Obermaintal und Teile des Steigerwaldes. Oberfranken ist an Vielfältigkeit und Reiz kaum zu überbieten. Der Verfasser dieser Bücher geht mit dem Herzen, mit den Augen und mit seiner Liebe für kleinste Details für unsere Wildpflanzen an diese Landschaft heran. Er entdeckt für uns alle Alltägliches und Seltenes, macht es uns bewußt, weist uns auf die Besonderheiten von Wildpflanzen hin und möchte auch unsere Augen öffnen für Talauen, für Gewässer, für seltene Standorte, aber er erspart uns auch nicht den Hinweis, wie sehr die Menschen der Natur schon geschadet haben.

Erich Walter

Wildpflanzen
in der Fränkischen Schweiz
und im Veldensteiner Forst

Auf über 250 Seiten mit 68 Farbfotos und Pflanzen-
zeichnungen auf 150 Seiten werden ca. 320 Pflanzenarten vorgestellt und dokumentiert.

Zu beziehen in allen Buchhandlungen oder beim
Hoermann Verlag, Oberer Torplatz 1, 95028 Hof,
Telefon 0 92 81/72 87-0, Telefax 0 92 81/72 87-72

Format: 21 x 20 cm
Umfang: 252 Seiten
Preis: DM 34,80

ISBN 3-88267-029-0

Gesamtherstellung:
Mintzel-Druck, Hof

Das Buch hat viele Freunde
gewonnen.
Nicht nur in unserer Heimat,
sondern darüber hinaus
in den gesamten deutsch-
sprachigen Gebieten Europas.

Der bekannte Hofer Maler
und Graphiker Karl Bedal hat
dieses großartige Heimatbuch
„Haus + Hof in Fichtelgebirge
und Frankenwald" als sein
Lebenswerk bezeichnet.

Es ist die Geschichte der
Bauernhäuser und Höfe bis
zum heutigen Tage – die
Gestaltung der Bauernhäuser
und ihre verwurzelte und
interessante Architektur.
Besonders wertvoll mit vielen
Zeichnungen und farbigen
Bildern.

4farbiger Umschlag,
gebunden
Umfang: 164 Seiten
Format DIN A 5

Preis: DM 19,80

ISBN 3-88267-007-X

Gesamtherstellung:
Mintzel-Druck, Hof

Zu beziehen in allen Buchhandlungen oder beim
Hoermann Verlag
Oberer Torplatz 1
95028 Hof,
Telefon 0 92 81/ 72 87-0
Telefax 0 92 81/ 72 87-72

Gräfin von Paris

schöner von Boshop

Winter-Rambour

Welsch Schle